L'édition originale de ce roman a paru en langue anglaise chez
HarperCollinsPublishers sous le titre :

AVALON HIGH

© Meggin Cabot, 2006.
© Hachette Livre, 2008 pour la traduction française.
Hachette Livre, 43 quai de Grenelle, 75015 Paris.

MEG CABOT

Un amour légendaire

TRADUIT DE L'ANGLAIS (ÉTATS-UNIS)
PAR JOSETTE CHICHEPORTICHE

hachette

Pour les deux Barbara Cabot, Méchante Maman
et Tante Babs

Je tiens à remercier Beth Ader, Jennifer Brown, Barbara M. Cabot, Michele Jaffe, Laura Langlie, Abigail McAden, et tout particulièrement Benjamin Egnatz.

Elle ne sait pas ce que peut être la malédiction,
Elle tisse, jour après jour.
Elle n'a pas de loyal et fidèle chevalier,
La Dame de Shallot.

Alfred Lord Tennyson

CHAPITRE 1

Et près de la lune le moissonneur épuisé,
Entassant les bottes de céréales
sur les hauteurs dégagées,
Écoutant, murmure :
« C'est la fée la Dame de Shallot. »

— Quelle chance tu as !

Vous pouvez faire confiance à ma meilleure amie Nancy pour voir les choses sous cet angle. Nancy est ce qu'on appelle une « optimiste ».

Non que je sois pessimiste. Disons plutôt que je suis pragmatique. Du moins, d'après Nancy.

Et que j'ai, apparemment, beaucoup de chance.

— Comment ça ? ai-je demandé.

— Tu sais bien, a répondu Nancy. Tu vas pouvoir tout recommencer depuis le début dans un nouveau lycée où personne ne te connaît. Du coup, tu pourras être qui tu veux. Te façonner une nouvelle personnalité sans qu'on te dise :

« De qui te moques-tu, Ellie Harrison ? Je me souviens, quand tu as mangé de la colle au CP... »

— J'avoue que je n'y avais pas pensé, ai-je fait. Mais permets-moi de te rappeler que c'est toi qui as mangé de la colle.

— Tu vois bien ce que je veux dire ! a soupiré Nancy. En tout cas, bonne chance. Au bahut et ailleurs !

— Oui, ai-je murmuré, sentant à travers les mille cinq cents kilomètres qui nous séparaient qu'il était temps de raccrocher. À bientôt, Nancy !

— Au revoir, a-t-elle répondu avant d'ajouter une dernière fois : Quelle chance tu as !

À vrai dire, jusqu'à ce que Nancy me le fasse remarquer, je n'avais pas pensé qu'il y avait quoi que ce soit de réjouissant dans ma nouvelle situation. À part la piscine, bien sûr. On n'en a jamais eu. Avant, si Nancy et moi on avait envie de faire une trempette, il fallait qu'on prenne nos vélos et qu'on pédale pendant huit kilomètres – et je peux vous dire que ça montait – pour atteindre Como Park.

En tout cas, quand mes parents m'ont annoncé qu'ils prenaient une année sabbatique, heureusement qu'ils ont précisé qu'on aurait une piscine à nous, sinon, je vous le jure, j'aurais défailli.

14

Lorsqu'on a des parents profs, le mot *sabbatique* est sans doute la pire insulte qui soit. Tous les sept ans, la plupart des professeurs se voient offrir la possibilité de prendre une année sabbatique – en gros, une année de vacances, durant laquelle ils peuvent recharger leurs batteries et essayer d'écrire et de se faire publier.

Les profs adorent prendre une année sabbatique.

Leurs enfants, non.

Vous aimeriez, vous, quitter vos amis pour un an et, une fois que vous avez enfin réussi à vous en faire de nouveaux, revenir chez vous et recommencer à zéro ?

Non. Sauf si vous êtes un peu tordu.

À la décharge de mes parents, je dois avouer que cette année sabbatique ne s'annonce pas aussi horrible que celle qu'on a passée en Allemagne. Attention, je ne suis pas en train de dire que ça craint en Allemagne. J'échange toujours des mails avec Anne-Katrin, la fille à côté de qui j'étais assise en cours.

Mais s'il vous plaît ! J'ai dû apprendre à parler une autre langue !

Au moins, cette année, on est restés aux États-Unis. Bon d'accord, on habite à côté de Washing-

15

ton, ce qui n'a rien à voir avec le reste de l'Amérique. Mais tout le monde parle anglais.

Et il y a la piscine.

Avoir une piscine, c'est un paquet de responsabilités, si vous voulez savoir. Tous les matins, il faut vérifier le filtre et s'assurer qu'il n'a pas été obstrué par des feuilles ou des animaux morts. Il y a presque toujours une ou deux grenouilles dans le nôtre. Généralement, si je me lève assez tôt, elles sont encore vivantes quand j'arrive. Du coup, je dois conduire une expédition de sauvetage de grenouilles.

La seule façon pour les sauver, c'est de plonger la main dans l'eau et retirer le panier du filtre. Résultat, je me suis trouvée plus d'une fois en contact avec toutes sortes d'animaux plus dégoûtants les uns que les autres, comme des scarabées ou des souris. Une fois, je suis même tombée sur un serpent. Comme il était hors de question que je le touche – il pouvait me mordre et, qui sait, m'injecter son venin dans les veines –, j'ai appelé mes parents.

— Et alors ? Que veux-tu que j'y fasse ? a demandé mon père.

— Que tu le sortes de là.

— Jamais, a-t-il répondu. Jamais je ne m'approcherai d'un serpent.

Mon père, qui a grandi dans le Bronx où on ne tombe jamais sur un serpent, déteste tout ce qui se rapporte à la nature. S'il voit une araignée, il se met à hurler comme une fille. Quant à ma mère, qui, elle, a passé toute son enfance dans un ranch du Montana, ce sont les cris effarouchés de mon père qu'elle déteste. Du coup, lorsqu'elle l'entend crier parce qu'il a vu une araignée, elle se précipite et la tue, même si je lui ai répété des milliers de fois que les araignées étaient extrêmement bénéfiques à l'environnement.

En fait, mes parents ne sont vraiment pas comme les autres parents. Par exemple, les parents de mes amis partent tous les matins pour aller à leur travail. Parfois, il y en a même qui s'absentent plusieurs jours d'affilée.

Pas les miens. Les miens ne partent jamais. Ils sont *tout le temps* à la maison, assis à leur bureau, à écrire ou à lire. Le seul moment de la journée où ils se lèvent, c'est pour regarder *Questions pour un champion*.

Et ils connaissent toutes les réponses !

Chez mes amis, ce n'est pas comme ça. D'abord, leurs parents ne regardent pas *Questions pour un champion*. Je le sais, parce que quand je vais chez Nancy, je vois bien que ses

17

parents suivent les séries, comme tous les gens normaux.

Mais mes parents, non.

Pour en revenir au serpent, je me suis bien gardée d'appeler ma mère. La connaissant, elle n'aurait pas hésité à lui trancher la tête d'un coup de couteau. C'est pourquoi, après avoir trouvé une branche fourchue, je me suis empressée de le dégager du panier du filtre et de le relâcher au fond du jardin. Cela dit, même s'il ne me semblait pas aussi dangereux une fois que j'ai eu le cran de le sortir, j'ai quand même prié pour qu'il ne revienne pas.

Nettoyer le filtre n'est pas la seule contrainte quand on a une piscine. Il faut aussi passer l'aspirateur – ce qui est en fait assez rigolo – et tester régulièrement l'eau pour vérifier son taux de chlore et son pH. J'aime bien tester l'eau. Je le fais même plusieurs fois par jour. Il faut verser un peu d'eau dans des petits tubes à essai puis ajouter une ou deux gouttes d'un produit spécial. Si l'eau dans les tubes n'a pas la bonne couleur, on doit alors verser de la poudre dans le filtre. C'est comme en chimie, mais en mieux, parce que quand on a fini, au lieu d'une paillasse en désordre d'où émane une odeur infecte, on a une belle eau bleue limpide.

Depuis notre arrivée à Annapolis, j'ai passé la majeure partie de l'été à m'activer autour de la piscine. Je dis « m'activer », mais mon frère Geoff – il est parti à l'université dès la deuxième semaine d'août – a une autre expression. Il dit que je la bichonne comme une mère poule.

— Calme-toi, Ellie, a-t-il répété un nombre incalculable de fois. Tu n'es pas obligée de la bichonner comme une mère poule. On a un contrat avec un service d'entretien. Ils passent toutes les semaines nettoyer la piscine.

Sauf que le type qui vient n'éprouve aucun amour pour notre piscine. Il ne s'en occupe que pour l'argent. Il n'en voit pas la beauté.

Mais je comprends plus ou moins ce que mon frère veut dire : je suis quasiment tout le temps à la piscine. Quand je ne la nettoie pas, je me laisse porter sur l'eau, sur l'un de ces matelas gonflables que j'ai obligé mes parents à acheter chez Wawa. Wawa, c'est le nom des stations-service ici, dans le Maryland. Il n'y a pas de Wawa dans le Minnesota. Là-bas, les stations-service s'appellent Mobil, Exxon, etc.

Bref, on l'a gonflé chez Wawa – avec la pompe qui sert normalement à gonfler les pneus de voiture, même si ce n'est pas conseillé. C'est ce qu'ils disent sur la notice qui allait avec le matelas.

Quand Geoff l'a fait remarquer à mon père, celui-ci a haussé les sourcils et a répondu :

— Et alors ?

Avant de continuer à pomper.

Et rien n'est arrivé.

J'ai essayé de respecter le même emploi du temps tout l'été : dès que je me lève, j'enfile mon maillot de bain, je prends une barre de céréales et je vais à la piscine, où je vérifie qu'aucune grenouille ne bouche le filtre. Puis, une fois la piscine propre, je m'allonge sur mon matelas avec un livre et je me laisse porter sur l'eau.

Quand Geoff est parti pour l'université, je me débrouillais tellement bien que j'arrivais à rester sur l'eau sans me mouiller les cheveux. Je peux passer toute la matinée comme ça, jusqu'à ce que mon père ou ma mère sorte sur la terrasse et m'appelle pour déjeuner.

Alors je rentre et on mange un sandwich au beurre de cacahuète et à la confiture, si c'est moi qui suis responsable du repas, ou des travers de porc de chez Red Hot and Blue, le restaurant au coin de la rue, si c'est au tour de mes parents, vu qu'ils sont trop occupés à écrire leurs livres pour cuisiner.

Puis je retourne à la piscine jusqu'à ce que mon père ou ma mère ressorte et m'appelle pour dîner.

Personnellement, je ne trouve pas que ce soit une mauvaise façon de passer la fin de l'été.

Ma mère, si.

Je ne sais pas pourquoi elle s'est mis en tête de s'intéresser à la façon dont j'occupais mon temps. Elle n'avait qu'à ne pas laisser papa nous traîner ici. Il paraît que c'était plus pratique pour ses recherches. Parce que, en ce qui la concerne, elle aurait très bien pu écrire son livre – sur mon homonyme, Elaine d'Astolat, la Dame de Shallot – à la maison, à Saint Paul, dans le Minnesota.

Ah oui. Autre chose sur les parents qui exercent le métier de professeur : ils vous donnent pour nom celui d'un auteur qu'ils affectionnent – comme ce pauvre Geoff qui a hérité du prénom de Geoffrey Chaucer – ou d'un personnage de la littérature, comme celui de la Dame de Shallot, alias Lady Elaine, qui s'est tuée parce que Lancelot lui préférait la reine Guenièvre – vous savez, celle qu'interprète Keira Knightley dans le film sur le roi Arthur.

Je me fiche de savoir que le poème qui lui est consacré est magnifique. Ce n'est pas très cool de porter le nom d'une femme qui s'est tuée pour un homme. Je l'ai fait remarquer plein de fois à mes parents, mais ils ne comprennent pas.

Cela dit, il n'y a pas que ça qu'ils ne comprennent pas.

— Tu ne veux pas aller faire un tour dans la galerie marchande ? me demande ma mère tous les jours avant que je me sauve à la piscine. Ou aller au cinéma ?

Oui, mais avec qui ? Maintenant que Geoff n'est plus là, il n'y a plus personne pour m'accompagner ! Personne sauf mes parents. Et une fois m'a suffi. Car il n'y a rien de pire que de voir un film avec deux personnes qui le dissèquent aussitôt les lumières rallumées. C'était avec Vin Diesel, bon sang ! À quoi s'attendaient-ils ?

— L'école va bientôt reprendre, je lui réponds chaque fois. Pourquoi je ne pourrais pas continuer à profiter de la piscine jusqu'à la rentrée ?

— Parce que ce n'est pas normal, m'a-t-elle déclaré quand j'ai voulu savoir quel mal il y avait à se laisser porter sur l'eau, allongée sur un matelas gonflable.

— Oh, parce que *toi*, tu sais ce qui est normal ? ai-je rétorqué.

Regardons les choses en face : mon père et elle sont loin d'être des gens normaux.

Mais ma mère ne s'est pas offusquée. Elle s'est contentée de secouer la tête et de dire :

— Je sais ce qu'est un comportement normal

22

pour une adolescente. Et passer ses journées toute seule dans une piscine sur un matelas, ce n'est pas normal.

J'ai trouvé qu'elle exagérait. C'est agréable de se laisser dériver sur l'eau. On est allongé et on peut lire, et si le livre devient ennuyeux ou qu'on l'a fini et qu'on a la flemme d'aller en chercher un autre, on peut regarder les rayons du soleil qui se reflètent dans les feuillages des arbres. On peut aussi écouter le chant des oiseaux et des cigales, et, au loin, le bruit des tirs d'artillerie des aspirants, les élèves de deuxième année de l'École navale.

On en rencontre parfois en ville, dans leur uniforme blanc immaculé, marchant deux par deux. À chaque fois, mon père les pointe du doigt et me dit :

« Regarde, Ellie. Des marins. »

J'imagine qu'il cherche à ces moments-là à établir une espèce de complicité père-fille. Et j'imagine aussi que je devrais m'extasier et lui dire que je les trouve mignons. Mais il n'est pas question que je discute du physique des garçons avec mon père ! J'apprécie son effort, mais il est tout aussi vain que celui de ma mère quand elle me suggère d'aller faire un tour à la galerie marchande.

À propos de mon père, on ne peut pas dire

qu'il passe ses journées à travailler sur un sujet excitant. Le livre qu'il écrit est pire que celui de ma mère, d'après le baromètre de l'ennui. Il parle d'une épée. Oui, oui, une épée ! Et même pas une belle épée en or ou avec des pierres précieuses. Non, une épée super vieille, couverte de taches de rouille et qui ne vaut pas un clou, en plus. Je le sais parce que le conservateur de la National Gallery de Washington a laissé mon père l'emporter pour qu'il puisse l'étudier de plus près. C'est pour ça qu'on a déménagé... pour qu'il puisse examiner son épée. Elle est dans son bureau – c'est-à-dire le bureau du prof qui nous a loué sa maison pendant que lui prenait son année sabbatique en Angleterre, où il doit probablement mener des recherches sur un sujet encore plus rébarbatif que l'épée de mon père.

Je ne comprends pas pourquoi mes parents ont choisi le Moyen Âge comme sujet d'étude. C'est l'époque la plus ennuyeuse de toute l'histoire, à l'exception peut-être de la Préhistoire. Je sais, on est très peu à penser ça, mais c'est parce que la majorité des gens ont des idées fausses sur la vie au Moyen Âge. Ils croient que c'était comme dans les films, avec des chevaliers en collants et collerette qui disent « ma mie » à la femme qu'ils aiment.

Mais quand on a des parents médiévistes, on apprend très tôt que ça n'était pas du tout comme ça. La vérité, c'est qu'au Moyen Âge, les gens sentaient mauvais, avaient des dents pourries et il n'y avait rien d'exceptionnel à ce qu'ils meurent à vingt ans. Quant aux femmes, elles devaient épouser des hommes qu'elles n'aimaient pas, et dès que quelque chose allait de travers, on les accusait et on allait même jusqu'à les brûler vives.

Regardez Guenièvre. Tout le monde pense que c'est sa faute si Camelot n'existe plus. Ben voyons.

Le problème – et j'ai découvert ça très jeune –, c'est que partager ce genre d'information peut vous rendre très impopulaire aux goûters d'anniversaire, surtout quand toutes les petites filles sont déguisées en Belle au Bois dormant. Ou dans les restaurants dont la décoration – et la nourriture – s'inspire du Moyen Âge. Et bien sûr, quand vous jouez à Donjons & Dragons.

Mais que suis-je censée faire ? Me taire ? Je ne peux pas. Je me vois mal en train de dire : « Oh, oui, la vie était formidable à cette époque ! Comme j'aimerais avoir un vaisseau spatial et remonter jusqu'à l'an 900. J'aurais des poux plein la tête et les cheveux tout frisés parce que les soins lissants n'existaient pas à l'époque ! Au fait, est-ce que vous savez aussi que, si vous aviez une bronchite, vous aviez toutes les chances de mourir, vu que les antibiotiques, ils ne connaissaient pas en ce temps-là ? »

Vous imaginez donc bien que je ne suis pas la première sur la liste des invités quand quelqu'un organise une soirée « Moyen Âge ».

Mais bon, passons.

J'ai fini par céder à ma mère. Non pas pour faire un tour à la galerie marchande ou aller au cinéma, mais pour emmener mon père courir.

Premièrement, ça n'avait rien à voir avec ce qu'elle m'avait proposé jusqu'à présent et, deuxièmement, j'adore courir. J'ai même remporté le 200 mètres femmes en mai dernier. Par ailleurs, l'exercice, c'est censé faire du bien, non ? Surtout quand on est un homme d'un certain âge qui doit perdre quelques kilos – comme mon père – et qui, sous prétexte que trop de testostérone dans une salle de sport le rend fou, a renoncé au bout de deux séances à suivre maman à son cours de gym.

— Si tu l'emmènes courir, Ellie, je te laisse voguer à ta guise, m'a donc proposé ma mère.

Ça m'allait parfaitement, et ça stimulerait le cœur de papa – ce qu'il lui fallait, d'après l'émission que j'avais vue à la télé sur les personnes âgées.

En femme organisée, ma mère avait mené des recherches, et elle nous a envoyés dans un parc à environ trois kilomètres de la maison.

Je dois reconnaître que c'est un très beau parc où l'on peut pratiquer toutes sortes de sports, comme le tennis, le base-ball et le football américain. Deux sentiers sont réservés à la promenade des chiens – un pour les chiens de petite taille, un autre pour les chiens plus grands –, et une piste de course a été aménagée parallèlement. Mais il n'y a pas de piscine, comme à Como Park. Cela dit, j'imagine que les gens qui vivent dans des quartiers aussi résidentiels que le nôtre ne vont jamais à la piscine municipale. Ils ont leur propre piscine.

Une fois sur le parking, j'ai fait quelques étirements tout en observant du coin de l'œil mon père qui se préparait à courir. Il a retiré ses lunettes – il est myope comme une taupe. En fait, s'il avait vécu au Moyen Âge, il aurait probablement trouvé la mort à l'âge de trois ou quatre ans en tombant dans un puits. Heureusement pour moi, j'ai hérité de l'excellente vue de ma mère – puis il a enfilé une vieille paire en plastique munie d'un élastique qu'il a passé derrière sa tête pour les maintenir en place quand il courrait.

— Voilà une bien belle piste, a-t-il déclaré tout en ajustant la lanière.

Contrairement à moi, qui ai passé des heures à la piscine, mon père est blanc comme un cachet d'aspirine.

— Elle fait exactement 1,6 km et traverse une zone boisée, une sorte d'arboretum. Ce qui fait qu'on ne sera pas tout le temps au soleil.

J'ai mis mes écouteurs. Je ne peux pas courir sans musique – sauf pendant les compétitions, évidemment –, et le rap, c'est parfait. Plus le chanteur est en colère, mieux c'est. Eminem est le type idéal quand on court, parce qu'il en veut à la terre entière. À l'exception de sa petite fille.

— On fait deux tours ? ai-je proposé à mon père.

— OK, a-t-il répondu.

J'ai alors allumé mon mini iPod – il est fixé à un bracelet, autour de mon poignet – et j'ai commencé à courir.

Ce n'était pas évident au début. Il fait plus humide dans le Maryland que dans le Minnesota, à cause de la proximité de la mer, et l'air est lourd et dense.

Mais, au bout d'un moment, mes articulations

se sont relâchées et je me suis souvenue à quel point j'aimais courir. Attention, je ne suis pas en train de dire que c'est facile. Au contraire, c'est dur et tout ça, mais j'adore cette sensation de puissance dans les jambes, comme si... comme si je pouvais tout faire. Oui, tout faire.

Il y avait peu de monde, juste quelques vieilles dames qui promenaient leur chien, mais je les ai vite dépassées et laissées loin derrière moi. Je ne souriais pas en courant. Dans le Minnesota, les gens sourient tout le temps, même aux gens qu'ils ne connaissent pas. Ici, dans le Maryland, les gens ne vous sourient que si, vous, vous leur souriez d'abord. Mes parents l'ont vite compris, et maintenant, ils m'obligent à sourire – et même à faire signe – à toutes les personnes que je croise. Surtout nos nouveaux voisins, quand ils sont dans leur jardin et tondent leur pelouse. C'est une question d'image, m'a expliqué ma mère. Il paraît que c'est important de donner une bonne image de soi, pour que les gens ne pensent pas qu'on est snobs.

Sauf que je ne suis pas sûre de me soucier de ce que pensent les gens ici.

Au bout d'un moment, la piste a commencé à ressembler à une vraie piste, avec l'herbe coupée à ras de part et d'autre. Elle a longé le terrain de base-ball et le terrain de football, a coupé le sentier réservé aux chiens, puis a contourné le parking avant de s'enfoncer dans une forêt étonnamment dense. Oui, une vraie forêt, en plein milieu de nulle part. Sur un panneau en bois, juste à l'entrée, on pouvait lire : BIENVENUE À L'ARBORETUM ANNE ARUNDEL.

À mesure que je pénétrais dans ses profondeurs, le côté brusquement sauvage de la végétation m'a un peu surprise. Le feuillage au-dessus de ma tête était si épais qu'il laissait à peine les rayons du soleil filtrer.

Autour de moi, les buissons, très fournis, étaient couverts d'épines. Quant aux arbres, ils étaient si feuillus qu'on ne voyait pas à deux mètres devant soi. Mais j'avoue que, pour courir, l'arboretum – avec son incroyable luxuriance – était bien plus agréable que le reste du parc. L'ombre rafraîchissait la sueur qui coulait le long de mon visage et de ma poitrine. Difficile de croire qu'on soit proche de toute civilisation. Histoire de vérifier, j'ai retiré mes écouteurs : le bruit des voitures qui roulaient à la lisière du bois m'est aussitôt parvenu.

Ce qui m'a plutôt rassurée. C'est vrai, quoi. Au moins, je ne m'étais pas accidentellement perdue dans une forêt genre Jurassic Park !

J'ai remis mes écouteurs et je suis repartie. Je commençais à être légèrement essoufflée, mais ça allait. J'entendais mes pieds frapper le sol, et la musique dans mes oreilles, pourtant, je ne pouvais m'ôter de l'esprit la curieuse impression d'être seule dans ce bois... peut-être seule au monde.

Ce qui était ridicule puisque mon père ne devait pas être très loin – même s'il avançait à peine plus vite que les dames avec leurs chiens.

En même temps, j'avais vu tellement de films à la télé où l'héroïne court innocemment quand tout à coup un psychopathe surgit de nulle part et la pousse dans les broussailles que j'avais besoin de me rassurer. Qui sait quel détraqué se dissimulait là ? D'accord, on était à Annapolis, et la ville était surtout célèbre pour accueillir l'École nationale navale et être la capitale du Maryland, mais bon. Elle pouvait aussi regorger de dangereux criminels.

Heureusement, je faisais confiance à mes jambes. Et si quelqu'un tentait de se jeter sur moi, je n'hésiterais pas à lui envoyer un coup de pied à la tête et à le maintenir à terre jusqu'à l'arrivée des secours.

C'est exactement à ce moment-là, alors que je m'imaginais en train de terrasser un adversaire, que je l'ai vu.

CHAPITRE 2

Saules blanchis, trembles frissonnants,
Petites brises, obscurité et frisson
À travers l'onde qui passe pour toujours
Près de l'île dans la rivière
Coulant vers Camelot.

À moins que ce ne soit une hallucination.

Pourtant, j'étais sûre d'avoir aperçu une forme à travers les arbres, ni verte ni marron, ni d'aucune autre couleur qu'on trouve dans la nature.

Du coup, je me suis approchée du bord de la piste et j'ai plissé les yeux pour mieux voir à travers le feuillage : quelqu'un se tenait près d'un amas de rochers, tout au fond d'une sorte de ravine. Comment avait-il fait pour se frayer un passage sans machette à travers toute cette végétation ? Est-ce que j'avais raté un sentier ?

En tout cas, lui ne l'avait pas raté. Mais que fabriquait-il là ?

Je n'ai pas eu le temps de lui demander. Mes

jambes me portaient déjà hors du sous-bois, dans la lumière aveuglante du soleil qui inondait le parking. Autour de moi, des mères de famille descendaient de leurs 4 × 4 et se dirigeaient vers la piste pour chiens, leur colley en laisse, et sur l'aire de jeux voisine, des enfants faisaient de la balançoire ou du toboggan, sous l'œil attentif de leurs parents.

Avais-je vraiment vu un homme debout, seul, au fond d'une ravine ?

Ou l'avais-je seulement imaginé ?

En tout cas, quand je suis passée à côté d'un jardinier qui se tenait avec son seau non loin du terrain de base-ball, je ne me suis pas arrêtée pour lui signaler sa présence. J'aurais peut-être dû ? Il y avait des enfants sur l'aire de jeux, après tout ! Et si le type était un malade mental ?

Bref, je n'ai rien dit. Je suis passée à toute vitesse sans lui faire signe ni lui sourire, d'ailleurs.

Bonjour l'image que je donnais de moi !

D'où j'étais, je voyais mon père, dans son tee-shirt jaune vif. Il lui restait les trois quarts environ de la piste à parcourir, mais il semblait bien s'en sortir. Il avançait lentement, mais sûrement. Maman dit toujours que papa n'arrive jamais nulle part le premier, mais qu'il finit toujours par arriver.

Pour quelqu'un qui est incapable de courir, je trouve qu'elle est gonflée de dire ça. Mais bon. Ma mère, ce qu'elle aime, c'est l'aérobic et les sports de combat.

Ce qui, étant donné la frayeur que le type de la ravine m'avait faite, aurait pu m'être bien utile.

Lorsque je suis repartie pour mon deuxième tour de piste et que je me suis de nouveau enfoncée dans l'arboretum, j'ai cherché en vain le départ d'un sentier que l'homme aurait pu emprunter pour descendre au fond de la ravine.

En repassant à l'endroit où je l'avais vu la première fois, j'ai bien regardé. Il n'y avait plus personne : la ravine était déserte, et rien n'indiquait le passage de qui que ce soit. Finalement, j'avais peut-être tout imaginé. Qui sait si ma mère n'avait pas raison ? J'aurais peut-être dû délaisser la piscine et fréquenter plus la galerie marchande. Est-ce que l'absence de contact avec des gens de mon âge pouvait provoquer des hallucinations ?

Je m'interrogeais sur l'état de ma santé mentale quand, après avoir pris un virage, je suis tombée sur lui.

Je n'avais donc rien imaginé du tout.

Il était en compagnie de deux autres personnes, un garçon et une fille, tous deux de mon âge apparemment et aussi blonds que beaux. Lui-même semblait à peine plus âgé et, comme moi, il était grand et avait les cheveux noirs.

Mais il n'était pas en sueur et ne haletait pas.

Oh, et puis, il était super mignon, aussi.

Ils m'ont dévisagée, tous les trois, surpris. J'ai vu le garçon blond dire quelque chose et la fille blonde faire la moue... peut-être parce que je les avais évités de justesse.

Seul le garçon aux cheveux noirs m'a souri. Il m'a regardée droit dans les yeux et a dit quelque chose.

Que je n'ai pas entendu vu que j'avais mes écouteurs.

Tout ce que je sais, c'est que pour une raison ou pour une autre, je lui ai rendu son sourire. Non pas à cause de cette histoire d'image de soi à donner. Non, c'était... c'était comme si, après que je l'ai vu me sourire, mes lèvres lui avaient automatiquement souri, sans que mon cerveau y soit pour quelque chose.

Je l'ai fait, c'est tout. Comme si j'y étais habituée, comme si c'était un sourire auquel je répondais toujours par un sourire.

Pourtant, je ne le connaissais pas. Je ne l'avais même jamais croisé en ville. Comment se fait-il alors que mes lèvres aient réagi de la sorte ?

Ma réaction m'avait tellement déroutée que ça

m'a soulagée de m'éloigner. M'éloigner de ce sourire, je veux dire, qui m'avait fait sourire à mon tour sans que je le décide.

Sauf que mon soulagement a été de courte durée. Parce que je les ai revus tous les trois – les deux garçons et la fille – au moment où je m'adossais à notre voiture et que je vidais une des bouteilles d'eau que ma mère nous avait obligés à prendre, mon père et moi. Ils sortaient de l'arboretum et se dirigeaient vers leur voiture à eux. Le garçon et la fille aux cheveux blonds parlaient avec animation au garçon aux cheveux noirs. J'étais trop loin pour entendre ce qu'ils disaient, mais à en juger par leur expression, ils n'avaient pas l'air très contents. Et le garçon aux cheveux noirs ne souriait plus.

Au bout d'un moment, il a fini par dire quelque chose qui a sans doute calmé ses deux camarades, car ils ont cessé de paraître agacés.

Puis le garçon blond a grimpé dans un 4 × 4 tandis que le brun s'installait au volant d'une Land Cruiser blanche... et que la fille montait à côté de lui. Curieux. J'aurais juré qu'elle était avec le blond, et non le brun.

Mais ayant peu d'expérience dans le domaine des amours entre garçons et filles, je ne peux me considérer comme une experte.

J'étais assise sur le capot de la voiture, occupée à réfléchir à la scène dont je venais d'être témoin – une querelle d'amoureux ? une transaction entre un revendeur de drogue et ses clients ? – quand mon père est arrivé, pantelant.

— Eau, a-t-il soufflé.

Je lui ai tendu la seconde bouteille, qu'il a vidée d'un trait.

Ce n'est qu'une fois dans la voiture, avec l'air conditionné à fond, qu'il m'a demandé :

— Alors, tu t'es bien amusée ?

— Oui, ai-je répondu, légèrement surprise de m'entendre dire ça.

— Tu veux recommencer demain ?

— Pourquoi pas ? ai-je dit en jetant un coup d'œil là où j'avais vu pour la dernière fois mes trois inconnus.

Ils étaient partis depuis longtemps.

— Super ! s'est exclamé mon père d'une voix manquant totalement d'enthousiasme.

De toute évidence, il aurait préféré que je décline sa proposition. Mais je ne pouvais pas. Non pas parce que je m'étais finalement rappelé que j'adorais courir ou parce que j'avais bien aimé partager ce moment avec mon père.

Non, c'était parce que... – OK, je l'admets – j'espérais revoir le joli garçon aux cheveux noirs qui m'avait souri.

✎ CHAPITRE 3 ✎

Quatre murs gris, et quatre tours grises,
S'ouvrent sur un espace de fleurs,
Et l'île silencieuse garde dans sa chaumière
La Dame de Shallot.

Je ne l'ai pas revu. Du moins, dans le parc. Et cette semaine-là. On est allés courir tous les jours, mon père et moi – à peu près à la même heure que le premier jour –, mais je n'ai plus jamais revu qui que ce soit au fond de la ravine.

Pourtant, j'ai regardé, vous pouvez me croire. J'ai bien regardé.

J'ai souvent repensé à eux – à ces deux garçons et à cette fille –, parce qu'ils étaient les premières personnes de mon âge que je voyais à Annapolis – en dehors de ceux qui travaillaient chez Graul, l'épicier du coin, ou de ceux qui servaient chez Red Hot and Blue.

Est-ce que cette ravine était l'endroit où les

jeunes de la région se retrouvaient pour s'embrasser à l'abri des regards indiscrets ?

Mais le garçon aux cheveux noirs n'embrassait personne quand je l'avais vu, et il était seul.

Est-ce qu'il prenait de la drogue alors avec ses copains ?

Il n'avait pas l'air non plus sous l'effet de quelque substance illicite, et ses amis et lui ne donnaient pas l'impression d'être des voyous. Ils portaient des vêtements normaux, comme des shorts kaki et des tee-shirts, et je n'avais vu aucun piercing ou tatouage sur eux.

Apparemment, tout portait à croire que je n'aurais pas de réponse à mes questions dans un avenir proche. Nos entraînements à mon père et à moi dans le parc Anne Arundel – ainsi que mes après-midi à la piscine – allaient bientôt s'achever : les cours reprenaient.

Ça a toujours été mon rêve d'entrer en seconde dans un lycée loin de chez moi où je ne connais personne.

Euh... je plaisante.

Le premier jour à Avalon High n'était cependant pas une vraie première journée dans un nouveau lycée. Ça s'appelait d'ailleurs « journée d'orientation ». En gros, on visitait le lycée, on nous assignait une classe, un casier et des livres.

Il n'y avait rien de cérébral, sans doute pour ne pas nous stresser, et nous permettre de retrouver la routine des cours en douceur.

Avalon High est plus petit que mon ancien lycée, mais il est mieux équipé – car il a plus d'argent. Du coup, je n'allais pas me plaindre. On y publie même un guide des élèves, qui est distribué le jour de la rentrée « officielle », avec une photo et une notice sur chacun. J'ai dû remplir un questionnaire aussi pour lequel on me demandait mon nom, mon adresse e-mail (si je choisissais de la donner) et mes hobbies. Histoire de faire connaissance plus facilement.

Mes parents étaient super excités quand le jour de la *vraie* rentrée est arrivé. Ils se sont levés aux aurores et m'ont préparé un énorme petit déjeuner et un repas pour midi. Le petit déjeuner était OK – des gaufres légèrement brûlées –, en revanche, le repas de midi laissait à désirer : un sandwich au beurre de cacahuète et à la confiture, et une salade de pommes de terre de chez Red Hot and Blue. Je n'ai pas osé leur dire que la salade de pommes de terre allait souffrir de la chaleur, dans mon casier, avant que je la mange. Mes parents, en médiévistes qu'ils sont, ne pensent tout simplement pas à la réfrigération.

J'ai pris le sac qu'ils me tendaient fièrement et j'ai lancé :

— Merci, maman ! merci, papa !

Puis ils m'ont accompagnée en voiture parce que je leur avais dit que j'étais émotionnellement trop fragile pour prendre le bus. Ils savaient aussi bien que moi que c'était faux, mais je n'avais pas envie de me retrouver dans un autocar avec personne que je connaissais à côté de qui m'asseoir, et d'imposer ma présence à des gens qui ne le souhaitaient peut-être pas.

Heureusement, mes parents ont eu l'intelligence de ne faire aucun commentaire. Ils m'ont déposée devant le lycée sur le chemin de la gare – ils avaient décidé de prendre leur journée pour se rendre à Washington et consulter d'autres médiévistes sur leurs ouvrages respectifs.

Avant de les quitter, je leur ai rappelé d'être gentils avec les autres professeurs et eux m'ont rappelé d'être gentille avec mes petits camarades.

Puis, je suis entrée dans le lycée.

C'était un premier jour typique, du moins la première moitié : personne ne m'a adressé la parole et je n'ai adressé la parole à personne. Un ou deux profs ont absolument tenu à insister sur mon statut de nouvelle et sur le fait que je venais de la région exotique du Minnesota avant de me demander de la présenter et de me présenter à la classe.

Ce que j'ai fait.

Aucun élève n'a écouté. Ou alors, ça ne se voyait pas.

Mais ça ne m'embêtait pas, parce que très sincèrement, je m'en fichais.

Le déjeuner est toujours le moment le plus délicat à gérer quand on est nouveau dans un établissement. Mais je suis habituée, vu la précédente année sabbatique qu'ont prise mes parents. Depuis mon expérience allemande, je sais qu'en m'installant seule à la bibliothèque pour manger mon sandwich, je serai très vite cataloguée comme la fille-qui-n'a-pas-d'amis.

Du coup, après avoir parcouru le réfectoire des yeux, j'ai repéré une table occupée par des filles qui avaient plus ou moins mon style, c'est-à-dire grandes avec avaient l'air sérieux. Je me suis dirigée vers elles et, puisque c'est ce qu'on est censé faire – même si j'avais l'impression de passer pour une vraie nouille –, j'ai décliné mon identité et je leur ai demandé si je pouvais m'asseoir avec elles. Après m'avoir écoutée, elles se sont écartées et m'ont fait de la place. Ce qui est, après tout, le code de conduite des filles grandes à l'air sérieux dans le monde entier.

C'est vrai, quoi. Elles auraient très bien pu me dire d'aller me faire voir. Mais non. Bref, cette année à Avalon High ne s'annonçait pas si terrible que cela, finalement.

J'en ai été toutefois totalement convaincue après le déjeuner, quand je l'ai vu. Le garçon de la ravine, je veux dire.

Je consultais mon emploi du temps en cherchant à me rappeler où se trouvait la salle 209 – j'avais fait le tour du lycée lorsque j'étais venue pour la « journée d'orientation » –, lorsqu'il a déboulé au coin du couloir. Je l'ai reconnu tout de suite, non pas parce qu'il est grand et que peu de garçons sont plus grands que moi, mais à cause de son visage. Qui n'est pas beau, mais... attirant. Agréable à regarder. Avec quelque chose de fort aussi.

Le plus étrange, c'est que lui aussi a paru me reconnaître, même si on s'était juste croisés dans le parc.

— Salut, a-t-il dit en souriant, et pas seulement avec sa bouche, mais avec ses yeux, aussi.

Juste *salut*. C'est tout. *Salut*.

Mais c'était un *salut* qui a fait bondir mon cœur dans ma poitrine.

Bon d'accord, c'était peut-être plus les yeux que le *salut*. À moins que ce ne soit tout simplement le fait de voir un visage familier au milieu de cet océan de têtes inconnues.

Sauf que j'avais déjà vu la fille qui se tenait à côté de lui – la blonde, celle qui était montée dans sa voiture, le jour du parc. Je l'avais croisée dans la matinée, et mon cœur n'avait pas fait de bond.

Mais c'est peut-être parce que, quand je suis passée à leur hauteur, elle a tiré sur la manche du garçon d'un air agacé en disant :

— Dépêche-toi, on a rendez-vous avec Lance au Dairy Queen.

Et que lui a glissé un bras autour de ses épaules en répondant :

— Super.

Puis ils ont disparu tous les deux, happés par la horde d'élèves qui envahissaient les couloirs.

Voilà. La scène avait duré à peine deux secondes. Bon, OK, trois peut-être.

Mais elle m'avait laissée chancelante, comme si j'avais reçu un coup de pied dans le ventre. Ce qui ne me ressemble pas. Je ne suis pas du genre à m'exclamer : *Oh, mon Dieu, il m'a regardée, je n'arrive pas à y croire*. Nancy, oui.

Pourquoi, dans ce cas, me suis-je empressée, une fois dans ma salle, de sortir mon exemplaire du guide des élèves et de le feuilleter frénétiquement à la recherche de son nom, sans prêter attention à la liste des livres au programme dont nous parlait notre prof de littérature classique ? Je ne sais pas.

Bref, il s'appelait A. William Wagner, il avait un an de plus que moi, et était connu sous le nom de Will.

Je trouvais que ça lui allait bien. Will. Oui, il avait une tête à s'appeler Will.

Non que je sache à quoi un Will doit ressembler, mais bon.

D'après le guide, A. William Wagner était plutôt une star à Avalon High. Il était capitaine de l'équipe de football, délégué de classe et avait été reçu premier au concours général. À la rubrique « hobbies », il avait inscrit « lecture et voile ».

Le petit texte qui figurait sous sa photo ne disait rien de ses amours – en même temps, les deux fois où je l'avais vu, il était avec la même fille, cette blonde si jolie. Et la seconde fois, il l'avait prise par les épaules, et elle lui avait rappelé qu'ils avaient rendez-vous au Dairy Queen. Conclusion, elle devait être sa petite amie.

De toute façon, des garçons comme A. William Wagner ont toujours des petites amies.

Comme je n'avais rien de mieux à faire – Mr. Morton, le prof de littérature classique, essayait de nous intéresser à la légende gaélique, laquelle m'aurait sans doute passionnée si je ne mangeais pas, ne buvais pas et ne respirais pas de la légende gaélique chaque fois que je me retrouve en tête à tête avec mes parents –, j'ai cherché le nom de la blonde dans le guide des élèves. Elle s'appelait Jennifer Gold, avait mon âge et ses hobbies dans la vie, c'était le shopping et, quelle surprise, A. William Wagner.

Sinon, elle faisait partie des pompom girls.

Rien d'étonnant.

J'ai continué à feuilleter le guide, cette fois à la recherche du garçon qui accompagnait Will et Jennifer ce jour-là dans le parc, et j'ai fini par le trouver. Lance Reynolds. Il avait l'âge de Will, était gardien dans l'équipe de football et adorait aussi la voile.

Et c'est comme ça, de recherche en recherche et de cours en cours, que ma première journée au lycée Avalon High a pris fin. Elle ne s'était pas si mal passée que cela, après tout. Je m'étais même fait des amies, dont l'une des filles avec qui j'avais déjeuné. Elle s'appelait Liz et appartenait à l'équipe d'athlétisme. On avait même découvert qu'on habitait dans la même rue.

Mes parents m'attendaient dans la voiture quand je suis sortie du lycée. Dès que mon père a démarré, ils m'ont évidemment interrogée tous les deux sur ma journée, et, à mon tour, je me suis enquise de la leur. Ma mère avait trouvé de nouveaux textes mentionnant Elaine – pas moi, l'autre, l'Elaine sur laquelle elle travaille – dans une légende du roi Arthur qui n'avait aucun rapport avec le célèbre poème de Lord Tennyson.

Formidable !

Ha ! Ha !

Quant à mon père, il m'a parlé de son épée jusqu'à ce que je me mette à battre des paupières.

Mais je les ai écoutés poliment, en attendant d'arriver à la maison où, là, je me suis dépêchée d'enfiler mon maillot de bain et de m'installer sur mon matelas.

Je rêvassais depuis une demi-heure environ quand ma mère est sortie sur la terrasse.

— Tu me fais une blague, n'est-ce pas ? a-t-elle lancé. Je pensais que c'était terminé cette histoire de piscine maintenant que les cours ont repris.

— Allez, maman ! C'est bientôt la fin de l'été. Laisse-moi encore en profiter un peu, s'il te plaît.

Ma mère a secoué la tête, puis est rentrée dans la maison.

Je me suis rallongée sur mon matelas et j'ai fermé les yeux. Le soleil était encore chaud et pourtant l'après-midi touchait à sa fin. Dire que j'avais des devoirs – des devoirs dès le premier jour ! Une dissertation, en littérature classique. Outre qu'il était un très mauvais orateur, ce Mr. Morton m'avait fait l'effet d'être un tyran en ce qui concernait les devoirs à lui rendre. J'y ai réfléchi un moment et je suis arrivée à la conclusion que ça pouvait attendre après dîner. De toute façon, il fallait que je réponde d'abord à mes mails. Nancy voulait savoir si elle pouvait venir. Elle ne connaissait pas la côte Est, et encore moins la côte Est dans une maison avec piscine. Mais il fallait qu'elle se dépêche, sinon il ferait trop froid pour qu'on se baigne.

Depuis le temps que je me laissais porter sur l'eau, j'avais établi un déroulement des opérations très strict. Je restais sur le dos, et si mon embarcation s'approchait trop près du bord, je donnais un coup de pied pour m'en éloigner. Le propriétaire de la maison avait fait poser de gros rochers tout autour du bassin dans l'idée d'évoquer une étendue d'eau naturelle (sauf qu'on voit rarement des mares ou des étangs avec du chlore et des filtres. Mais bon).

Le problème, c'est que je devais faire très attention quand je donnais un coup de pied car une énorme mygale – aussi grosse que mon poing – avait élu domicile sur l'un des rochers. À plusieurs reprises, j'avais failli l'écraser en ne regardant pas où je posais le pied. Mais ne voulant pas déranger le délicat écosystème de la piscine, je me refusais, comme avec le serpent, à la tuer. En même temps, je ne tenais pas particulièrement à ce qu'elle me morde et m'envoie aux urgences.

Résultat, je gardais toujours l'œil ouvert lorsque le matelas s'approchait du bord.

Mais cet après-midi-là – en ce premier jour d'école –, quand mon matelas a heurté le bord de la piscine et que j'ai ouvert les yeux avant de donner un coup de pied, j'ai eu le choc de ma vie.

A. William Wagner se tenait perché sur le rocher de la Mygale et me regardait.

CHAPITRE 4

Son grand front clair dans l'éclat du soleil brille,
Sur des sabots bruns, avance son cheval,
De dessous son heaume, flottent
Ses cheveux noirs et bouclés tandis qu'il chevauche,
Qu'il chevauche vers Camelot.

J'ai hurlé si fort que j'ai failli basculer.

— Je suis désolé, s'est aussitôt exclamé Will.

Lui qui souriait cinq secondes plus tôt a pris un air grave pour ajouter :

— Je ne voulais pas tc faire peur.

— Qu'est-ce... qu'est-ce que tu fabriques ici ? ai-je bégayé en le regardant droit dans les yeux.

Je n'en revenais pas qu'il soit là. Là, devant moi. Au bord de ma piscine. Dans mon jardin. Sur le rocher de la Mygale.

— C'est-à-dire que..., a-t-il commencé, légèrement gêné. J'ai sonné et ton père m'a dit que tu étais dans la piscine. Il m'a fait entrer et... Ce n'est pas le bon moment ? Je peux revenir plus tard, si tu veux.

Je l'ai dévisagé, totalement interloquée. Ça faisait seize ans que j'étais sur terre et alors que pas une seule fois en l'espace de ces seize années un garçon ne s'était intéressé à moi, le garçon le plus mignon que j'avais jamais vu – et je dis bien que j'avais jamais vu – frappait chez moi, sans prévenir. En plus pour me voir, moi.

Car c'était bien pour ça qu'il était là, n'est-ce pas ?

— Comment... comment tu as su que j'habitais ici ? ai-je demandé. Tu ne sais même pas qui je suis.

— J'ai regardé dans le guide des élèves, a-t-il répondu.

Puis, constatant que j'étais plus que surprise par sa présence, il a répété :

— Je suis vraiment désolé de t'avoir fait peur. Ce n'était évidemment pas mon intention. Je pensais juste... Oh, et puis, laisse tomber. Tu sais quoi ? Je me suis trompé.

— Tu t'es trompé sur quoi ?

Mon cœur battait encore très vite. Will m'avait bien plus effrayée que la mygale qui vivait sur le rocher.

Mais ce n'est pas parce qu'il m'avait effrayée

que mon cœur s'emballait. C'était – eh bien, oui, je dois l'admettre – parce que Will était si beau, là sur le rocher, ses cheveux noirs scintillant dans le soleil de la fin de journée.

— Rien, a-t-il répondu. Je pensais que... Comme tu m'as souri l'autre jour dans le parc, je...

— Tu quoi ? ai-je demandé en tremblant.

Il se souvenait de moi. Il se souvenait de m'avoir vue dans le parc. Et, apparemment, je n'étais pas la seule à l'avoir remarqué. Le sourire, je veux dire. Lui aussi avait senti que ce n'était pas un sourire comme les autres.

Du moins, j'espère.

— Non, franchement, laisse tomber, a repris Will. C'est idiot. Quand je t'ai vue, l'autre jour dans le parc, et tout à l'heure à Avalon High, j'ai eu l'impression que... Je ne sais pas. Qu'on s'était déjà rencontrés. Mais de toute évidence, c'est faux. Je m'en rends compte, maintenant. À propos, j'ai oublié de me présenter. Je m'appelle Will.

J'ai fait comme si je ne le savais pas déjà. Je ne voulais pas qu'il pense que j'avais le béguin pour lui. D'abord, comment aurais-je pu avoir le béguin pour lui ? Je ne l'avais vu que deux fois. Même si, avec maintenant, ça faisait trois, on n'a pas le béguin pour quelqu'un qu'on n'a vu que trois fois. D'accord, quand on s'appelle Nancy, c'est possible. Mais quand on est une fille comme moi, non.

— Et moi, c'est Ellie, ai-je dit. Ellie Harrison. Mais bien sûr, tu le sais.

— Eh bien, oui, a-t-il fait en souriant.

Il était vraiment très séduisant. C'était bien la première fois qu'un garçon séduisant me remarquait et encore plus venait chez moi. Je ne suis pas laide, mais je ne suis pas non plus Jennifer Gold. Elle, elle serait plutôt du genre pauvre-fille-sans-défense-qui-appelle-au-secours-les-grands-hommes-forts. Vous voyez ce que je veux dire ? Le genre de fille dont tous les garçons tombent amoureux. Moi, je suis plutôt de celles à qui les vieilles dames dans les magasins demandent : « Pouvez-vous m'attraper la boîte de pâté pour chat qui se trouve tout en haut de l'étagère, s'il vous plaît, mademoiselle ? »

C'est-à-dire celles que les garçons ne voient pas.

— On a emménagé ici il y a un mois, ai-je expliqué. J'habitais Saint Paul, dans le Minnesota, avant. C'est la première fois que je viens sur la côte Est. Du coup, je ne vois pas très bien comment on aurait pu se rencontrer avant... À moins que...

56

Je l'ai observé de manière hésitante.

— Tu es déjà allé à Saint Paul ? ai-je demandé.

Ce qui était stupide de ma part, car s'il était venu à Saint Paul, je m'en serais souvenue.

Un peu, même !

— Non, a-t-il répondu toujours en souriant. Mais écoute, oublie ce que je t'ai dit. Il s'est produit des choses bizarres ces derniers temps, et j'imagine que...

Son visage s'est fermé, juste l'espace d'une seconde, comme si une ombre était passée devant lui.

Sauf que ce n'était pas possible vu qu'il n'y avait rien entre le soleil et lui.

Puis il a, semble-t-il, chassé d'un haussement d'épaules la sombre pensée qui l'avait traversé et a répété :

— Je parle sérieusement. Oublie tout ça. À demain ! On se croisera sans doute au bahut !

Et sur ces paroles, il s'est retourné.

Alors qu'il s'apprêtait à sauter du rocher de la Mygale, j'ai entendu la voix de Nancy qui me disait : *Ne le laisse pas partir, idiote ! Il est super sexy ! Débrouille-toi pour qu'il reste !*

— Attends ! ai-je lancé.

Il m'a de nouveau fait face. Vite, vite, il fallait que je trouve quelque chose de drôle ou d'intelligent à dire, quelque chose qui lui donnerait envie de passer plus de temps en ma compagnie !

Mais avant qu'une idée lumineuse ne me vienne, j'ai entendu la baie vitrée glisser sur ses rails. Une seconde plus tard, ma mère sortait sur la terrasse et disait :

— Ellie, est-ce que ton ami veut un maillot de bain pour te rejoindre dans la piscine ? Je suis sûre que Geoff en a laissé et qu'ils lui iraient.

Mon Dieu. *Mon ami*. J'allais mourir sur-le-champ. Et c'était quoi son *te rejoindre dans la piscine* ? C'est clair que ma mère ne savait pas qu'elle parlait du garçon qui jouissait de la plus grande cote de popularité à Avalon High et qui sortait avec la fille la plus jolie du lycée.

— Euh... non merci, maman. C'est bon, ai-je murmuré en adressant une moue d'excuse à Will.

— En fait..., a commencé celui-ci en se tournant vers ma mère. *Je dois partir.*

C'est ce que je pensais qu'il allait dire. *Je dois partir* ou *Je me suis trompé* ou même *Désolé, mais ce n'est pas la bonne maison*.

Car des garçons comme Will ne s'intéressent pas à des filles comme moi. Ça n'arrive jamais. De toute évidence, Will avait pensé que j'étais quelqu'un d'autre – une fille qu'il avait rencontrée en vacances ou dont il était tombé amoureux à huit ans, que sais-je –, et à présent, il prenait conscience de son erreur et partait.

Parce que c'est comme ça que c'est censé se passer dans un monde qui tourne rond.

Mais j'imagine que l'axe autour duquel tournait le monde avait été biaisé et que personne ne m'avait prévenue, car Will a déclaré :

— Je ne dirais pas non à une petite trempette.

Trois minutes plus tard, contre toute probabilité, Will sortait de la maison vêtu d'un short de bain appartenant à mon frère, une serviette autour du cou et deux verres de limonade à la main.

— Et voilà ! Madame est servie, a-t-il lancé d'un ton enjoué en me tendant un verre.

S'il a ressenti, comme moi, un frisson le parcourir au moment où nos mains se sont accidentellement frôlées, il n'en a rien laissé voir.

Il avait, ce qui ne me surprenait guère, un corps absolument parfait. Il était bronzé – probablement à cause des nombreuses heures passées à la barre de son voilier – et il était super musclé, mais pas dans le genre body-building non plus.

Et il était dans ma piscine.

Dans ma piscine.

— Est-ce qu'elle t'a parlé ? ai-je demandé, incapable de penser à autre chose qu'à son corps.

— Qui ? a fait Will en s'installant sur le matelas gonflable de Geoff. Ta mère ? Hum, hum. Elle a l'air sympa. Qu'est-ce qu'elle fait ? Elle est écrivain ?

— Professeur, ai-je répondu, les lèvres brusquement insensibles.

Non pas à cause des glaçons dans mon verre, mais parce que je venais de prendre conscience que Will Wagner s'était retrouvé seul dans ma maison avec mes parents tandis que moi, trop paralysée pour bouger, j'étais restée là, allongée sur mon matelas, sans penser à lui venir en aide.

— Oh, je comprends mieux maintenant.

Mon sang s'est aussitôt figé. Qu'avaient-ils fait ? Qu'est-ce que ma mère lui avait dit ? Il était trop tôt pour *Questions pour un champion*. Elle n'avait donc pas dû lui demander son avis sur une des réponses proposées.

— Tu comprends mieux... quoi ? ai-je demandé d'une petite voix inquiète.

— Ta mère a cité un poème après que je me suis présenté, a-t-il répondu en reposant la tête sur le matelas pour mieux contempler le ciel à travers ses Ray-ban.

Apparemment, ce que ma mère lui avait dit n'avait pas eu l'air de l'ennuyer.

— Ça parlait d'un grand front clair.

J'ai eu un haut-le-cœur.

— Un grand front clair dans l'éclat du soleil ?

— Oui, c'est ça ! s'est exclamé Will. C'est quoi exactement ?

— Rien, ai-je répondu en maudissant ma mère intérieurement. Un vers d'un poème qu'elle aime bien, *La Dame de Shallot*. De Lord Tennyson. Elle a pris une année sabbatique pour écrire un livre sur Elaine d'Astolat. Elle débloque juste un peu plus que d'habitude.

— Ça doit être génial d'avoir des parents qui parlent de poésie et de littérature, a fait Will tandis que son embarcation se rapprochait dangereusement du rocher de la Mygale.

— Tu ne peux pas imaginer à quel point, ai-je dit de la voix la plus plate possible.

— Et le reste ? a demandé Will.

— Le reste de quoi ?

— Du poème.

Elle allait me le payer, je vous jure qu'elle allait me le payer.

— *Son grand front clair dans l'éclat du soleil brille*, ai-je commencé de mémoire, vu que je l'avais entendu au moins soixante-dix fois, et juste cette semaine. *Sur des sabots bruns, avance son cheval, De dessous son heaume, flottent, Ses cheveux noirs et bouclés tandis qu'il chevauche, Qu'il chevauche vers Camelot.* Tu ne devais pas retrouver des amis au Dairy Queen ?

Will a haussé les sourcils, manifestement surpris par ma question. Je ne pouvais pas lui en vouloir. Moi-même, elle m'avait surprise. J'aurais été bien en peine de dire d'où elle venait.

Mais bon. Il fallait que je sache.

— Je crois, oui, a répondu Will. Comment se fait-il que tu sois au courant ?

— J'ai entendu Jennifer quand je t'ai croisé tout à l'heure au bahut.

Je suis sûre que Nancy aurait hurlé si elle avait été à côté. *Tu es idiote ou quoi ? Ne le laisse pas deviner que tu sais pour Jennifer et lui ! Parce qu'il va comprendre que tu t'es renseignée sur Jennifer et il va en déduire qu'il te plaît !*

Sauf qu'une fille pragmatique comme moi se devait de mentionner Jennifer.

En tout cas, je suis sûre que Nancy aurait adoré ce que j'ai dit ensuite.

— C'est ta petite amie, n'est-ce pas ?

Tout en prenant soin d'éviter mon regard, Will a relevé la tête pour boire une gorgée de limonade, puis il s'est rallongé sur son matelas.

— Oui, a-t-il murmuré. On sort ensemble depuis deux ans.

J'ai alors ouvert la bouche pour lui demander

ce qui me semblait être la question la plus naturelle qui soit – celle que Nancy m'aurait très certainement défendu de poser. Mais avant que je n'en aie le temps, Will a relevé de nouveau la tête et m'a regardée en disant :

— Ne le fais pas.

J'ai cligné des yeux plusieurs fois derrière mes lunettes de soleil.

— Ne pas faire quoi ? ai-je dit, car comment aurais-je pu savoir, alors, qu'il lisait dans mes pensées.

— Ne me demande pas ce que je fais dans ta piscine au lieu d'être avec elle, a-t-il répondu. Parce que très franchement, je ne le sais pas. Mais parlons d'autre chose, d'accord ?

J'avoue que j'avais de plus en plus de mal à croire à ce qui m'arrivait. Que faisait cet apollon dans ma piscine ? Sans parler du fait qu'il lisait dans mes pensées ?

Ça n'avait aucun sens.

Et, apparemment, ça n'en avait pas plus pour lui.

Du coup, au lieu de solliciter son avis sur la question, je lui ai demandé – et c'était un autre sujet qui me turlupinait – ce qu'il faisait seul au fond de la ravine la première fois que je l'avais vu.

— Oh ? a fait Will, étonné que je lui pose cette

question. Je ne sais pas. Ça m'arrive parfois de me retrouver là.

Ce qui répondait plus ou moins à la question qu'il m'avait priée de ne pas lui poser, à savoir pourquoi il était dans ma piscine au lieu d'être avec sa petite amie. Ce garçon ne tournait pas rond.

En même temps, il semblait on ne peut plus normal. Par exemple, il était à même de mener une conversation tout à fait intelligible. Il m'a ainsi demandé pourquoi nous avions quitté Saint Paul et, quand je le lui ai expliqué, il m'a répondu qu'il savait de quoi je parlais vu que son père était dans la marine et qu'il avait été muté à plusieurs reprises, obligeant par conséquent Will à changer d'établissement tous les deux ans. Mais cela n'était plus arrivé depuis longtemps, depuis que son père avait accepté un poste d'enseignant à l'École navale.

Puis il m'a parlé d'Avalon High, des profs qu'il aimait bien et de ceux dont il valait mieux se méfier – à ma grande surprise, Mr. Morton était quelqu'un de bien. Et il m'a raconté aussi la croisière qu'ils avaient faite, juste Lance et lui, cet été.

La seule personne dont il n'a pas reparlé, c'est Jennifer. Pas même une fois.

Je n'ai pas compté, mais bon.

Je n'ai aucun mal à deviner ce que Nancy en aurait déduit. C'est clair que tout n'était pas rose dans *cette* relation. Pourquoi Will aurait-il été dans ma piscine et pas dans la sienne, sinon ?

Attention, je n'étais pas en train de me dire que l'intérêt qu'il me portait était romantique. Car qui choisirait un hamburger quand il peut avoir du filet mignon ? Et je ne cherchais pas non plus à me déprécier – quoi qu'en pense Nancy. C'est juste que je suis réaliste. Des garçons comme Will sont attirés par des filles comme Jennifer : des petites blondes pétillantes qui savent naturellement quel fard à paupières leur va le mieux, et pas des filles comme moi, des brunes dégingandées qui n'ont pas peur de sortir un serpent du filtre de leur piscine.

Le soleil commençait à décliner derrière la maison et il y avait plus d'ombre que de lumière à la surface de l'eau quand ma mère est sortie sur la terrasse pour nous annoncer qu'elle avait commandé un repas thaï. Will voulait-il se joindre à nous ?

Will a accepté volontiers, et s'est comporté en invité parfait, m'aidant à mettre le couvert puis à desservir. Il a mangé tout ce qui se trouvait dans son assiette et lorsque mes parents et moi-même avons déclaré forfait, il a fini les restes — à la grande admiration de mon père.

Il a été très gentil aussi avec Tig, mon chat, quand celui-ci est venu renifler l'une de ses chaussures. Il s'est penché vers lui et lui a fait sentir sa main avant de le laisser décider s'il acceptait ou pas d'être caressé. Seules les personnes qui connaissent bien les chats savent que c'est comme ça qu'il faut procéder.

Et il n'a pas éclaté de rire quand je lui ai dit qu'il s'appelait Tig. Que voulez-vous ? J'avais huit ans quand on l'a eu. À l'époque, je pensais que Tigre était le nom le plus original qu'on pouvait donner à un chat.

Mais quand j'ai raconté ça à Will, il a souri et m'a répondu que Tigre, ce n'était pas pire que le nom qu'il avait donné, lui, à son chien, un colley : Cavalier. C'est vrai que Cavalier, c'est curieux pour un chien. Surtout pour un chien qui vit dans une famille où le père est dans la marine.

Pendant le repas, Will nous a fait rire en nous rapportant certaines farces que les aspirants de l'école navale faisaient à leurs instructeurs, et il a écouté avec attention mon père lui parler de son épée ou ma mère quand elle lui a cité quelques vers de *La Dame de Shallot*, comme elle a souvent tendance à le faire quand elle a bu un verre de vin.

Et lorsque je lui ai fait part de mes impressions la première fois que je suis allée chez Graul, l'épicier, et que j'ai raconté ensuite comment j'avais extrait un serpent du filtre de notre piscine, il a éclaté de rire à chacun de mes bons mots.

Nancy fronce toujours les sourcils quand elle m'entend plaisanter avec des garçons. Elle dit que les filles qui racontent des histoires drôles ne plaisent pas aux garçons. « Comment veux-tu qu'ils tombent amoureux de toi s'ils sont trop occupés à rire ? » me dit-elle souvent.

Si elle a raison sur un point – aucun garçon n'est jamais tombé amoureux de moi, à l'exception de Tommy Meadows quand j'étais en primaire, mais sa famille a déménagé pour le Milwaukee juste après qu'il m'a déclaré sa flamme... détail qui, maintenant que j'y pense, l'a peut-être poussé à me faire sa déclaration –, mon père m'a raconté qu'il avait eu le coup de foudre pour ma mère parce qu'à la fête d'étudiants où ils s'étaient rencontrés, elle avait écrit *Demoiselle d'Astolat* sur le badge qu'elle portait au revers de son gilet.

Il paraît que ça les a fait beaucoup rire. N'oubliez pas que vous avez affaire à des médiévistes.

Pour en revenir à Will et à moi, je ne cherchais

évidemment pas à ce qu'il succombe à mes charmes. De toute façon, il était pris, non ?

C'est juste que, au souvenir de l'ombre qui avait assombri son visage quand on était à la piscine, je me disais que rire ne pouvait pas lui faire de mal. C'est tout.

Will est parti après dîner. Il a remercié mes parents, en les appelant *madame le professeur* et *monsieur le professeur* – je n'ai pas pu m'empêcher de pouffer –, puis il m'a dit :

— À demain, Elle, avant de disparaître dans le crépuscule de la même manière qu'il avait surgi au bord de ma piscine. Comme s'il venait de nulle part.

J'ai pourtant attendu dehors, jusqu'à ce que j'entende claquer la portière de sa voiture et que je voie ses phares arrière tandis qu'il quittait l'allée de notre maison, me prouvant qu'il n'était pas un spectre – ou, comme Mr. Morton avait dit aujourd'hui, un *bocan*, qui est le terme gaélique pour « fantôme ». J'ai écouté pendant le cours, qu'est-ce que vous croyez ? Enfin, plus ou moins.

Elle. Il m'avait appelée Elle.

Personne ne m'avait jamais appelée Elle. On m'appelle Ellie – surnom qui, si vous voulez mon avis, fait un peu bébé. Ou bien carrément Elaine qui, pour le coup, fait vieillot.

Mais jamais Elle. Je ne suis tellement pas le genre de fille qu'on appelle Elle.

Sauf, apparemment, pour A. William Wagner.

— Eh bien, il a tout l'air d'être un gentil garçon, a déclaré mon père quand je suis rentrée.

— Will Wagner, a dit ma mère. J'aime bien ce nom. Il sonne très bien.

Au secours ! Je voyais très bien où mes parents voulaient en venir. Ils pensaient que Will m'appréciait. Q'on allait sortir ensemble, lui et moi. Les pauvres ! Ils n'avaient aucune idée – mais alors aucune – de ce qui se passait vraiment.

Cela dit, moi non plus. En vérité, si quelqu'un m'avait demandé d'expliquer le déroulement de la soirée – Will apparaissant brusquement sur le rocher de la Mygale puis restant dîner avec nous –, je serais restée muette. Je n'avais jamais rencontré de garçon qui se comporte comme ça... ou pire, qui rie de mes blagues.

En même temps, je n'allais pas en faire toute une histoire. Will était sympa, mais il avait une petite amie. Une petite amie très jolie, qui plus est.

Mais dont il ne tenait pas particulièrement à parler.

Ce qui, plus j'y réfléchissais, était bizarre.

Mais le plus bizarre, c'est que pendant toute la soirée, je n'avais pas trouvé la situation si bizarre que ça. Comme lorsqu'il m'avait souri et que je lui avais répondu dans le parc, cela m'avait paru naturel – oui, naturel – qu'il reste dîner, plaisante sur l'argenterie pendant qu'on mettait le couvert et rie quand j'avais imité les serveurs de chez Graul.

C'est *ça* qui était bizarre. Que ça ne m'ait pas *paru* bizarre.

Pourtant, lorsque Nancy a appelé plus tard dans la soirée et que mon père, qui avait décroché, a dit : « Ah, Nancy ! Ellie a plein de choses à te raconter », je ne me suis pas étendue sur le sujet. Je savais que Nancy ne manquerait pas de répéter à tout le monde, là-bas, à Saint Paul, qu'un garçon était venu dîner à la maison dès le premier soir de la rentrée. Du coup, j'ai fait en sorte de ne pas lui révéler qu'il était capitaine de l'équipe de football, délégué de classe et qu'il faisait de la voile.

Et surtout, qu'il était très, très beau en maillot de bain.

Nancy était déjà dans tous ses états au téléphone.

— Oh, Ellie ! Est-ce qu'il est plus grand que toi ?

70

Ma taille a toujours posé un problème : de tous les garçons des écoles que j'ai fréquentées, pas un, à l'exception de Tommy Meadows, ne me dépassait.

— Il fait un mètre quatre-vingt-quatre.

Nancy a sifflé, pleine d'admiration. Avec mon mètre soixante-quinze, je pouvais toujours mettre des talons si on sortait ensemble, m'a-t-elle fait remarquer.

— Quand je vais raconter ça à Shelley ! s'est-elle exclamée. Oh, Ellie, tu imagines ! Tout va changer pour toi, maintenant. Tout !

Oui. Tout laissait croire que j'étais à l'aube d'une nouvelle vie.

C'est ce que je pensais.

À ce moment-là.

CHAPITRE 5

Un bref salut des bords de sa chaumière,
Il chevaucha entre les gerbes d'orge,
Le soleil vint éblouissant à travers les feuilles,
Et s'enflamma sur les guêtres cuivrées
Du brave Messire Lancelot.

J'ai pris le bus le lendemain pour aller au lycée. Ce n'était pas aussi terrible que je l'avais pensé. Comme Liz, la fille qui habitait dans ma rue, attendait à l'arrêt, on s'est mises à bavarder et on a fini par s'asseoir l'une à côté de l'autre.

Liz est plutôt du genre directe, ce qui n'était pas pour me déplaire, vu que je le suis aussi. Bref, elle m'a très vite raconté qu'elle n'avait pas de petit ami ni le permis de conduire. En revanche, moi, je ne lui ai pas raconté que A. William Wagner m'avait rendu visite la veille et était resté dîner. D'abord, je ne voulais pas passer pour une vantarde et puis, comme Liz me donnait l'impression d'adorer les ragots, je ne tenais pas particulièrement à ce que tout le lycée sache que Will était venu chez moi.

Je me suis félicitée de ma prudence quand, un peu plus tard dans la journée, alors que je refermais la porte de mon casier, Jennifer Gold est venue me trouver, l'air plutôt mécontent.

— Il paraît que Will a dîné chez toi, hier soir, a-t-elle dit d'une voix peu aimable.

Dans la mesure où je n'en avais parlé à personne, j'en ai conclu que c'est Will qui avait dû la mettre au courant. À moins que Jennifer ne nous ait épiés, mais ça semblait peu probable.

Aussi, tout en me demandant pourquoi les filles de petite taille comme Jennifer sortaient toujours avec les garçons les plus grands, laissant le menu fretin aux girafes comme moi, j'ai répondu :

— Oui, c'est exact.

J'avoue que je ne m'attendais pas à ce qu'elle a dit ensuite. Je pensais qu'elle allait me lâcher quelque chose comme : « Écoute-moi bien, Harrison. Will est mon petit copain. Alors, bas les pattes, sinon tu me le paieras. »

Non, elle m'a demandé :

— Est-ce qu'il a parlé de moi ?

Je l'ai considérée de la tête aux pieds. Souffrait-elle aussi, comme son petit ami, d'un léger trouble mental qui, dans son cas, cependant, ne se traduirait pas par une déconcertante attirance à mon égard ?

Pourtant, elle me paraissait saine d'esprit dans son sweater rose pâle et son pantacourt. Cela dit, il est difficile de savoir si quelqu'un a toute sa raison rien qu'à sa façon de s'habiller. Dans mon ancien lycée, les pompom girls portaient des tenues tout à fait normales, même si certaines étaient bonnes à être enfermées.

— Non, il n'a pas parlé de toi, ai-je répondu.

— Ni de Lance ? a continué Jennifer en plissant ses yeux parfaitement maquillés. Est-ce qu'il a dit quelque chose sur Lance ?

— Qu'ils étaient partis en croisière, tous les deux, cet été. Pourquoi ?

Jennifer a ignoré ma question. Elle s'est contentée de pousser un léger soupir en murmurant :

— Parfait.

Là-dessus, elle s'est éloignée.

Je n'allais pas tarder à découvrir que Jennifer Gold ne serait pas la seule à m'interroger sur Will.

Mr. Morton, le prof de littérature classique, a attendu qu'on soit tous installés pour nous annoncer que notre premier devoir consisterait en l'étude d'un poème pour lequel nous devrions faire un exposé oral devant toute la classe. L'exposé compterait pour vingt pour cent de notre note semestrielle et devait inclure des informations critiques. Il nous fallait aussi évidemment citer nos sources.

Puis, comme si ce n'était pas déjà assez déprimant comme ça, il a ajouté que nous travaillerions à deux.

Super !

Sur ces paroles, il nous a donné une feuille de papier sur laquelle figurait le nom de nos partenaires. Quand j'ai lu celui de l'élève avec qui je devais faire équipe, j'ai froncé les sourcils.

C'était Lance Reynolds.

Il devait y avoir une erreur. Lance ne pouvait pas être dans ma classe. Il avait un an de plus moi, comme Will, et puis, je ne l'avais pas vu, hier, en cours.

Pourtant, c'était bien lui, assis au fond de la salle, le front plissé. Il consultait la feuille que Mr. Morton lui avait donnée et se demandait sans doute qui était cette Elaine Harrison avec qui il allait devoir travailler. Quand il a levé les yeux et a croisé mon regard, j'ai agité ma feuille en articulant : « Vei-nard. »

Mais Lance n'a pas réagi comme je m'attendais à ce qu'un sportif réagisse en apprenant qu'il doit se coltiner la nouvelle. Non, au lieu de faire la grimace ou même de m'adresser un vague signe de tête, il s'est rembruni. C'était très intéressant à observer, vraiment.

Puis Mr. Morton nous a distribué nos poèmes. Nous étions tombés, Lance et moi, sur *Beowulf* [1].

Le découragement m'a saisie. Je déteste presque autant *Beowulf* que *Questions pour un champion* !

— Maintenant, rejoignez vos camarades et commencez à réfléchir à la façon dont vous allez aborder votre sujet, a déclaré Mr. Morton avec son accent britannique très marqué. Vous avez jusqu'à vendredi pour m'apporter votre plan.

Puisque Lance n'avait pas esquissé le moindre mouvement dans ma direction, je me suis levée et je me suis dirigée vers sa table.

— Salut, ai-je dit d'une voix faussement détachée tout en m'asseyant à côté de lui. Je m'appelle Ellie. On doit travailler ensemble ce semestre.

Lance a baissé les yeux et a fait mine de ne pas savoir qui j'étais. Malheureusement, un « Je sais » lui a échappé. Aussitôt, ses joues se sont empourprées.

Je n'en revenais pas. C'était bien la première

---

1. *Beowulf* : poème épique médiéval d'un héros scandinave, fils du diable et d'une mortelle, qui terrasse Grendel, un monstre marin.

fois qu'un garçon rougissait à cause de moi. Qu'est-ce que Lance savait donc sur moi pour réagir de la sorte ?

— Je... je t'ai vue l'autre jour, a-t-il bafouillé en guise d'explication. L'autre jour, dans le parc.

— Ah oui, ai-je fait, comme si ça me revenait tout à coup à l'esprit. Je me souviens.

— Will a dîné chez toi, hier ? a-t-il demandé prudemment.

Trop prudemment. Comme s'il pêchait des informations.

— Oui, ai-je répondu.

Allait-il vouloir savoir, comme Jennifer, si Will avait parlé de lui ?

Apparemment non, car il a dit ensuite :

— Alors ? On a *Beowulf*, c'est ça ?

— Hum, hum, ai-je marmonné. Je déteste ce poème.

Lance a paru surpris.

— Tu le connais ?

Si je ne voulais pas passer pour une frimeuse, c'était raté ! Quelle idée aussi de m'inscrire en littérature classique ! Le cours était ouvert à tous ceux que cela intéressait – ou à ceux qui, comme Lance, visiblement, avaient besoin de points supplémentaires pour leur note finale. Mais le pire, c'est que j'avais déjà lu presque tous les livres au programme. Et toute seule. Car c'étaient les mêmes que ceux qui se trouvaient sur les étagères de mes parents, et comme je n'ai pas vraiment ce qu'on appelle une vie sociale très mouvementée...

— Euh... oui. Mes parents sont profs. Spécialistes du Moyen Âge. *Beowulf*, c'est un peu leur truc.

Je venais à peine de finir ma phrase qu'un élève de petite taille, maigre comme un clou et une paire de lunettes sur le nez, a lancé depuis sa place, à la table voisine :

— Excusez-moi mais... j'ai cru entendre que vous aviez *Beowulf* ?

— Oui, ai-je répondu.

À côté de moi, Lance s'est brusquement redressé et a toisé le garçon d'un œil noir.

J'ai aussitôt reconnu ce regard. C'était celui que les élèves qui séjournaient auprès des dieux lançaient aux communs des mortels – comme si Lance n'en revenait pas qu'il ose lui adresser la parole.

— Et alors ? a-t-il fait.

Le garçon s'est tourné nerveusement vers son voisin, lequel avait l'air tout aussi chétif et myope.

— On adore *Beowulf*, a-t-il expliqué, sa voix montant dans les aigus sur la dernière syllabe.

— Oui, Grendel, c'est le meilleur, a renchéri son camarade.

J'imagine que Grendel était effectivement le meilleur aux yeux de jeunes garçons qui, au Moyen Âge, n'auraient pas dépassé l'âge de cinq ans vu que les couveuses n'existaient pas à l'époque.

— Vous avez quoi, vous ? leur ai-je demandé.

— Tennyson, ont-ils répondu en ne faisant aucun effort pour masquer leur dégoût.

J'ai eu un mouvement de recul.

— Pas *La Dame de Shallot* ?

— Si. Mais c'est plus court que *Beowulf* !

— Désolée, ai-je déclaré, ne voyant que trop bien où les deux garçons voulaient en venir. On ne peut pas échanger.

— Une minute ! est intervenu Lance. Qu'est-ce qui cloche avec *La Dame de machin* ? Si c'est plus court...

— Ma mère écrit un livre sur elle, l'ai-je coupé, sans mentionner que je portais en plus le nom du personnage principal du poème.

— Dans ce cas, on aura une super note ! s'est exclamé Lance. Il suffit que tu demandes à ta mère ce qu'on doit dire.

Je n'arrivais pas à y croire. En même temps, un peu, si. Apparemment, ma vie allait se dérouler ainsi à Avalon High : étrange et curieusement pas si étrange que cela.

— Je ne sais pas comment tu fais tes devoirs, ai-je commencé en cherchant désespérément à me contrôler, mais moi, je les fais toute seule, sans l'aide de mes parents.

— Mais si celui-là est plus court, a déclaré Lance en s'emparant du poème des deux garçons, c'est lui qu'on fera.

De toute évidence, il était inutile de discuter. Lance en avait décidé ainsi, point final.

J'ai rongé mon frein en silence. *La Dame de Shallot*, avec sa stupide robe blanche comme la neige, qui flottait au vent, me sortait par les yeux.

— Très bien, ai-je fini par dire en lui prenant le poème des mains. Je m'occupe de la rédaction, mais c'est toi qui feras l'exposé devant la classe.

L'expression de suffisance qu'affichait Lance un instant plus tôt a aussitôt disparu de son visage.

— Mais...

— Oui, c'est toi, ai-je répété, sinon je ne rends rien du tout à Mr. Morton. Personnellement, ça ne changera pas ma moyenne.

— Je ne peux pas me permettre d'avoir une mauvaise note en littérature, sinon je ne serai pas autorisé à rejouer dans l'équipe de football.

— Dans ce cas, tu n'as pas le choix.

Lance s'est enfoncé dans son siège en marmonnant un vague :

— Puisque c'est comme ça...

Ce que j'ai interprété – de la même façon que les deux fans de Grendel qui venaient de caser leur héros – comme une marque de reddition.

Quand la sonnerie a retenti, j'ai attendu que Lance sorte pour sortir à mon tour. Je n'avais aucune envie de poursuivre notre conversation dans le couloir.

Résultat, j'ai quitté la classe la dernière.

Mais cela m'a permis d'être aux premières loges pour ce qui allait suivre.

Un copain de Lance qui, vu sa taille, devait appartenir à l'équipe de football a tendu la main et, par ennui ou par méchanceté ou les deux à la fois, a attrapé le cahier du garçon avec qui on avait changé de poème au moment où celui-ci passait à sa hauteur.

— Rick, a-t-il dit, agacé. Rends-le-moi.

— *Rick,* a répété le footballeur d'une voix de fausset, *rends-le-moi.*

— Arrête ! C'est pas drôle ! s'est plaint le garçon en cherchant à reprendre son cahier.

Mais Rick a levé la main en l'air.

— *Arrête ! C'est pas drôle !* a lancé celui-ci,

toujours sur le même ton. (Puis, s'adressant à ses copains, il a ajouté :) Hé, vous l'avez entendu ?

J'ai cru que le garçon allait éclater en sanglots jusqu'à ce qu'une main, appartenant à quelqu'un d'encore plus grand que les joueurs de l'équipe de football, ne s'empare brusquement du cahier.

J'ai levé les yeux. C'était Will.

— Tiens, Ted, a-t-il dit au garçon en lui rendant son bien.

Ted a récupéré son cahier en tremblant avant d'adresser un regard plein de reconnaissance à son sauveur.

— Merci, Will.

— De rien.

Pas une seule fois, au cours de toute la scène, Will n'avait souri, et il ne souriait toujours pas quand il s'est tourné vers Rick et a dit :

— Excuse-toi.

— Je t'en prie, Will, est intervenu Lance. Rick plaisantait. Il a voulu faire une farce au petit et...

— On en reparlera plus tard, l'a coupé Will. Rick, présente tes excuses à Ted.

Rick a marmonné quelque chose mais s'est exécuté, ce qui ne m'a pas étonnée. Car l'intonation glaciale dans la voix de Will signifiait à quiconque – et même à un demi-centre de cent kilos – qu'il valait mieux de ne pas essayer de plaisanter avec lui. Ou tenter de désobéir à ses ordres.

À moins que ce soit un truc entre joueurs de football.

— C'est bon, a déclaré Ted avant de s'éloigner en vitesse avec son copain.

Je les ai suivis. Will ne m'avait pas remarquée dans la foule des élèves et c'était tant mieux. Je n'aurais probablement pas su quoi lui dire s'il m'avait parlé. Et puis, de le voir remettre Rick à sa place – mais surtout de voir Rick obtempérer – m'avait bouleversée.

Car il ne m'en avait pas fallu plus pour comprendre que... j'en pinçais pour lui.

J'étais dans de beaux draps. Quel besoin avais-je de tomber amoureuse d'un garçon qui sortait avec la plus jolie fille du lycée, même s'il avait débarqué chez moi sans prévenir et était resté dîner ? Tout ça allait mal se terminer, c'est sûr. Même Nancy, pourtant d'un optimisme à toute épreuve, aurait été incapable d'imaginer un dénouement autre que malheureux.

Du coup, j'ai passé le restant de la journée à essayer de ne pas penser à lui. À Will, je veux dire.

Heureusement, j'avais de quoi m'occuper. Il y avait le devoir pour Mr. Morton, et la nouvelle – c'est Liz qui m'avait mise au courant pendant le déjeuner – que d'autres filles de mon âge envisageaient de courir le 200 mètres – ma spécialité – lors des prochaines épreuves d'athlétisme que le lycée disputerait contre un autre établissement. Ce qui signifiait que, pour passer les épreuves éliminatoires et être prise dans l'équipe d'Avalon High, je devais être la meilleure.

Donc m'entraîner, puisque j'étais restée à me prélasser tout l'été dans ma piscine.

De retour chez moi, je me suis par conséquent immédiatement changée et je suis allée voir ma mère pour qu'elle me conduise au parc. Elle n'était pas là. Peut-être aurais-je plus de chance du côté de mon père ? J'ai frappé à son bureau. Il a grommelé quelque chose que j'ai décidé de prendre pour une invitation à entrer et j'ai poussé la porte.

— Oh, Ellie, c'est toi, a-t-il dit. Je ne t'avais pas entendue. (Puis, remarquant ma tenue, il a pris un air embêté et a ajouté :) Pas aujourd'hui, s'il te plaît, chérie. Je suis submergé. Je viens de faire une découverte capitale. Tu vois ce filigrane, là ? C'est...

— Tu n'es pas obligé de courir avec moi, papa, l'ai-je coupé avant qu'il ne se lance dans un long discours sur son épée. J'ai juste besoin que quelqu'un me conduise au parc. Où est maman ?

— Je l'ai déposée à la gare. Elle avait des recherches à faire en ville aujourd'hui.

— Eh bien, donne-moi les clés de la voiture. J'irai toute seule.

Mon père a blêmi.

— Non, Ellie, voyons, ce n'est pas possible ! s'est-il aussitôt exclamé. Tu n'as pas le droit de prendre le volant sans quelqu'un à tes côtés qui a son permis.

— Papa, je vais juste au parc. C'est à trois kilomètres. La route est toute droite et il y a un feu avant d'arriver. Ne t'inquiète pas, ça va aller.

Mais mon père a refusé. C'est-à-dire qu'il m'a laissée conduire, mais en s'asseyant dans le siège passager.

Lorsqu'on est arrivés, le terrain de base-ball était occupé et le parking quasi plein, avec essentiellement des minivans et des Volvo. Mon père m'a expliqué que la majorité des habitants d'Annapolis étant des anciens militaires, ils tenaient tous à conduire les voitures les plus sûres possible.

Est-ce que le père de Will avait une Volvo ? Will m'avait bien dit qu'il était dans la marine, non ?

En tout cas, c'était raté pour ce qui était de ne pas penser à lui.

On était convenus, mon père et moi, que je l'appellerais de la cabine publique – quand mes parents consentiront-ils à m'acheter un téléphone portable ? – pour qu'il vienne me chercher. J'ai ramassé mon iPod, ma bouteille d'eau et, à peine descendue de la voiture, j'ai commencé à courir. Sur le sentier réservé aux chiens, j'ai croisé quelques personnes qui promenaient leurs terriers ou leurs colleys – dans le Minnesota, les gens ont des labradors. Ici, ce sont des colleys. Toujours d'après mon père, c'est parce que les anciens militaires veulent les chiens les plus intelligents possibles, et les colleys ont la réputation d'être intelligents.

Le chien de Will, Cavalier, est un colley. C'est tout ce que je dis.

Bien que l'après-midi touche à sa fin, il faisait encore assez chaud, et au bout d'une cinquantaine de mètres, j'étais déjà en sueur.

Mais j'aimais bien cette sensation de faire travailler mes muscles, surtout après une journée où j'avais dû me recroqueviller pour réussir à me tenir assise aux tables du lycée. J'étais tellement concentrée sur le rythme de la musique que j'écoutais que je n'ai pensé à jeter un coup d'œil en bas de la ravine qu'au troisième tour de piste.

Et là, j'ai pratiquement trébuché et j'ai failli tomber.

Car j'ai vu Will.

Du moins, ai-je cru le voir car j'étais passée assez vite. Histoire de vérifier, je suis revenue sur mes pas. Mais pas dans l'intention de le rejoindre et de parler avec lui. Will est pris et ce n'est pas mon genre de tourner autour d'un garçon qui sort déjà avec une fille. À vrai dire, ce n'est pas mon genre tout court de tourner autour d'un garçon.

Mais s'il avait des problèmes ? S'il se trouvait en bas de la ravine parce qu'il avait glissé ? Et alors, ça peut arriver ! Qui sait s'il ne gisait pas au fond, en sang et inconscient, attendant de reprendre ses sens grâce à un baiser ? Un baiser que je lui donnerais ?

Bon, bon, d'accord. Je voulais lui parler. Vous avez gagné.

Bref, je suis retournée là où la piste surplombe la ravine. Comment était-il descendu sans se blesser aux épines des buissons ou sans dégringoler le long de la pente abrupte ? Mystère.

Cela dit, je pouvais toujours essayer de le rejoindre. Juste pour voir s'il allait bien.

C'est ce que je me suis dit.

Juste pour voir s'il allait bien.

N'importe quoi.

❧ CHAPITRE 6 ❧

Sous le ciel bleu pur,
Scintillants de joyaux, brillent la selle de cuir,
Le heaume et la plume qui l'orne
et brûlent d'une seule flamme,
Tandis qu'il chevauchait vers Camelot.

Finalement, ce n'était pas si compliqué, une fois passé le premier mur de ronces. Il faisait même bien moins chaud dans la ravine que sur la piste. Le feuillage des arbres était si dense qu'il atténuait le bruit des voitures et empêchait le soleil d'atteindre le sol, le rendant humide sous les pieds. On aurait dit une forêt vierge.

Tout à fait le genre d'endroit où l'on pouvait s'attendre à croiser un monstre comme Grendel.

Ou un terroriste comme Unabomber.

Mais c'est Will que j'ai vu quand les arbres se sont suffisamment éclaircis pour me permettre d'apercevoir le fond de la ravine. Il ne gisait pas inconscient sur le sol, il était assis sur un gros rocher qui surplombait le lit de la rivière. Apparemment, il ne faisait rien. Il était juste assis et regardait l'eau s'écouler.

De toute évidence, si Will avait choisi un endroit si reculé de tout et si difficile d'accès – j'avais les jambes tout égratignées –, c'est qu'il avait envie d'être seul.

J'aurais donc dû le laisser tranquille et ne pas le déranger.

J'aurais dû remonter sur la piste.

Mais je ne l'ai pas fait.

Parce que je suis totalement maso.

Je me suis frayé un passage jusqu'à la rivière et j'ai escaladé ensuite le long des rochers pour atteindre celui sur lequel il était assis. L'eau n'était pas profonde mais je ne voulais pas mouiller mes chaussures. Une fois à quelques mètres de Will, je l'ai appelé à plusieurs reprises. Sans succès. Et puis, j'ai compris pourquoi. Il avait ses écouteurs sur les oreilles. Ce n'est que lorsque j'ai tiré sur son pied qui pendait au-dessus de ma tête qu'il a remarqué ma présence.

Dans un premier temps, il a paru surpris, a sursauté même, et puis, quand il m'a reconnue, il a souri et a éteint son iPod.

— Oh ! Salut, Elle. Tu as bien couru ?

Elle. Il m'avait de nouveau appelée Elle.

Est-ce mal si mon cœur a fait un bond dans ma poitrine ?

J'ai examiné le rocher et, une fois que j'ai compris comment il avait fait pour grimper là-haut, je l'ai rejoint. Je ne lui ai pas demandé si je le dérangeais. À son sourire, je savais que non.

— Oui, j'ai bien couru, ai-je répondu en m'asseyant à côté de lui.

Mais pas trop près, car je devais sentir un peu la sueur. Sans parler du Cinq sur Cinq dont je m'étais largement aspergée avant de partir. Je ne sais pas pourquoi, mais les moustiques de la côte Est m'adorent. Et le parfum du Cinq sur Cinq n'est pas exactement un philtre d'amour, si vous voyez ce que je veux dire.

Mais Will n'a pas tiqué.

— Écoute, a-t-il soufflé en levant la main pour me signifier de ne pas parler.

J'ai écouté. L'espace d'une minute, j'ai pensé qu'il voulait que je me taise parce qu'il s'apprêtait à me confier quelque chose. Qu'il m'aimait, par exemple, même si on ne se connaissait pas vraiment et qu'on n'avait dîné ensemble qu'une fois.

Et alors ? Ça arrive.

Mais je n'ai pas tardé à comprendre que ce

n'était pas pour me déclarer sa flamme que Will voulait que je me taise. C'était pour écouter.

Ce que j'ai fait. Et j'ai entendu le murmure de l'eau, le gazouillis des oiseaux et le chant des cigales. Mais pas le bruit des voitures. Ni celui des avions. On n'entendait même pas les cris des supporters qui encourageaient les joueurs de base-ball. C'était comme si on était dans un autre monde, une oasis tachetée de soleil, loin de tout.

Alors que le Dairy Queen n'était qu'à deux ou trois cents mètres !

Au bout d'une minute, l'air un peu stupide, j'ai dit :

— Euh... Will ? Je n'entends rien.

Il m'a regardée avec un minuscule sourire.

— Je sais. C'est ça qui est génial. C'est l'un des rares endroits où on est seul. Tu comprends ? Il n'y a pas de lignes à haute tension. Pas de Gap. Pas de Starbucks.

Ses yeux étaient de la même couleur que l'eau bleue de ma piscine, quand je dose parfaitement le chlore et le pH. Sauf que ma piscine fait deux mètres quarante en son point le plus profond tandis que les yeux de Will semblaient sans fond...

— Cette ravine est magnifique, ai-je murmuré.

Il fallait que je change de sujet, vite. Parce que ce n'est pas une bonne idée du tout de penser aux yeux bleus d'un garçon, surtout si le garçon est déjà pris.

— Tu trouves ? a fait Will en contemplant à son tour le paysage devant nous.

Apparemment, il n'y avait jamais réfléchi. À la beauté de la ravine. Enfin, je crois.

— Oui, mais c'est surtout... tellement silencieux.

J'ai ramassé son iPod. Apparemment, il ne venait pas ici juste pour apprécier le silence.

— Qu'est-ce que tu écoutais ? ai-je demandé.

— Oh..., a-t-il fait, légèrement gêné. Rien en particulier.

— Allez ! ai-je insisté. J'ai bien Eminem sur le mien. Tu ne peux pas avoir pire.

Si. Will avait pire. Il écoutait une compilation de ballades et de chansons de troubadours. De l'époque médiévale.

— C'est pas vrai ! me suis-je exclamée tandis que les titres défilaient sur l'écran de son iPod.

Je me suis aussitôt mordu les lèvres.

Mais au lieu de se vexer, Will a éclaté de rire. D'un rire sonore tout en rejetant la tête en arrière.

— Je suis désolée, me suis-je excusée, mortifiée. Je ne voulais pas... Des tas de gens écoutent de la musique classique...

Lorsqu'il a enfin repris son souffle, au lieu de

m'envoyer au diable pour m'être montrée si mal élevée, il a simplement dit :

— Si tu avais vu ta tête ! Je parie que tu faisais la même moue de dégoût quand tu as découvert ce serpent dans le filtre de votre piscine !

— Désolée, ai-je répété, mais tu ne me donnais pas l'impression d'être le genre de garçon à rester seul dans les bois pour écouter... (j'ai baissé les yeux sur l'écran de son iPod) *Dames de la cour, Rois et troubadours.*

— Eh oui..., a fait Will, brusquement sombre, avant de me prendre son baladeur des mains. Moi non plus, je ne pensais pas être comme ça.

En voyant que son visage se rembrunissait de la même façon que la veille, chez moi, quand nous étions au bord de la piscine, j'ai compris que je n'avais pas dit ce qu'il fallait.

Mais comme je n'étais pas sûre de savoir quoi dire – sauf que j'étais quasi certaine qu'il n'apprécierait pas mon petit discours sur les poux et les dents pourries qui étaient le lot de tous au Moyen Âge –, j'ai préféré me taire.

Et puis, s'il avait dû se faire charrier sous prétexte qu'il aimait bien écouter de la musique médiévale, j'étais prête à parier que Lance et Jennifer s'en étaient déjà chargés, ce jour-là, quand je les avais vus tous les trois pour la première fois.

En même temps, il ne pouvait pas paraître aussi abattu parce que j'avais découvert son secret. Il devait y avoir une autre raison. Moi, quand je suis déprimée et que j'écoute les vieux Bee Gees de mon père, jamais les sarcasmes de mon frère ne me plongent dans une telle affliction.

Bref, si Will s'était fermé aussi brusquement, ce n'était pas parce que j'avais démasqué ses goûts musicaux. C'était pour quelque chose de beaucoup plus grave.

Tout en me demandant ce que cela pouvait bien être – et en espérant que ce ne soit pas un événement qui l'empêche, disons, de m'accompagner au bal de fin d'année si Jennifer et lui venaient à casser –, j'ai pris une profonde inspiration et j'ai dit :

— Écoute. Je sais que ça ne me regarde pas, mais... tu vas bien ?

Il a eu l'air surpris par ma question et a répondu :

— Oui. Pourquoi ?

— Eh bien, tu es délégué de classe, ai-je commencé en comptant sur mes doigts, capitaine de l'équipe de football du lycée, major de ta promotion ?

— Je crois, oui.

Il a souri en disant ça et mon cœur s'est serré.

— Bien. Major de ta promotion, ai-je donc ajouté à ma liste. Tu sors avec la plus jolie fille du bahut, et tu aimes être seul dans les bois pour écouter des ballades médiévales. Tu ne trouves pas que quelque chose cloche dans cette description ?

Il a souri de plus belle.

— Tu es plutôt directe, comme fille, non ? Le genre à ne pas y aller par quatre chemins, a-t-il fait observer, ses yeux bleus pétillant de façon terriblement dangereuse pour mon équilibre personnel. Est-ce une caractéristique du Minnesota ou bien d'Elle Harrison uniquement ?

Je ne me souviens plus de ce que j'ai répondu. J'ai pourtant dû dire quelque chose, mais quoi ? Ça ne me revient vraiment pas. De toute façon, à quoi bon chercher ? Il m'avait de nouveau appelée Elle. *Elle.*

Et puis, même s'il n'avait pas vraiment répondu à ma question, le simple fait qu'il plaisante prouvait qu'il n'avait nullement l'intention d'interrompre notre conversation. Après tout, l'ombre qui avait traversé son visage ne signifiait peut-être rien. Peut-être aimait-il tout simplement être seul et écouter de la musique médiévale. S'il n'avait pas de piscine, qui sait si ce n'était

pas sa façon à lui de se laisser porter sur l'eau...
Du moins, mentalement.

Et moi, avec mes gros sabots, je débarquais
alors qu'on ne m'avait pas sonnée.

Avec l'impression d'être la dernière des
gourdes, j'ai tenté de m'extraire de la situation le
plus vite possible.

— Bon, eh bien, j'y vais, ai-je déclaré en me
levant. On se voit au lycée ?

Mais Will m'a retenue par le bras. Exactement,
en serrant mon poignet avec sa main.

— Attends. Où tu vas ?

— Je... je rentre chez moi, ai-je répondu, d'un
ton que j'aurais préféré plus anodin.

Il me touchait. Aucun garçon – autre que mon
frère ou Tommy Meadows, qui m'avait demandé
de patiner avec lui un jour où on était allés avec
la classe à la patinoire – ne m'avait jamais touchée
jusqu'à présent.

— Tu es pressée ?

Est-ce que j'avais bien entendu ? Est-ce qu'il
voulait vraiment que je reste ? Non, j'avais rêvé.

— Pas vraiment, ai-je pourtant dit, mais j'imagine que tu as envie d'être seul. Et mon père
attend mon coup de fil. Pour venir me chercher.

— Je te raccompagnerai, a déclaré Will en se
levant à son tour.

Ce faisant, il s'est appuyé à moi de manière si inattendue que j'ai perdu l'équilibre et ai chancelé au bord du rocher...

... jusqu'à ce qu'il me retienne avec son autre main en m'attrapant par la taille.

On est restés juste une seconde comme ça, sa main m'enlaçant, l'autre me tenant par le poignet, nos visages très près l'un de l'autre.

Si une personne nous avait vus, je suis sûre qu'elle aurait pensé qu'on dansait. Deux jeunes un peu toqués, dansant sur un rocher.

Aurait-elle deviné que l'un d'eux – à savoir, moi – aurait voulu rester dans cette position jusqu'à la fin de sa vie, mémoriser chaque trait de ce visage, caresser ces cheveux noirs et soyeux et embrasser ces lèvres ? Will pensait-il la même chose ? J'aurais été bien en peine de le dire et pourtant, alors que je me perdais dans l'immensité de ses yeux bleus, j'ai senti que quelque chose – quelque chose d'indescriptible – était passé entre nous.

Mais j'avais dû me tromper, car, une seconde plus tard, il m'a libérée en disant :

— Ça va ?

— Oui, oui, ai-je répondu avec un rire nerveux. Désolée.

Sauf que je ne l'étais pas, désolée. Surtout que

les deux endroits de mon corps qu'il avait touchés me picotaient... agréablement.

On a entrepris ensuite de remonter de la ravine. Will marchait devant, retenant les branches sur mon passage et me donnant la main quand la pente était trop raide et que je risquais de glisser à cause de mes tennis. S'il a remarqué les étincelles qui s'élevaient de mon bras chaque fois que ses doigts entraient en contact avec les miens, il n'en a rien laissé voir. À la place, il parlait de mes parents.

Oui. De mes parents.

— Vous êtes drôles, tous les trois, a-t-il ainsi déclaré.

— Tu trouves ?

C'était bien la première fois qu'on me disait ça. Je sais que mon père a l'air drôle, surtout quand il met ses lunettes pour courir, celles qui sont retenues par un élastique, mais heureusement, il ne les portait pas le soir où Will avait dîné avec nous. Quant à ma mère, elle n'a pas particulièrement un physique drôle. En fait, elle est assez séduisante. Jusqu'à ce qu'elle ouvre la bouche et se mette à parler de grand front clair et de poésie.

— Oui, a insisté Will. C'est drôle, la façon dont ils te taquinent au sujet du filtre de la piscine, ou la façon dont tu les mets en boîte à cause de ce serpent. Jamais je ne pourrais plaisanter comme ça avec mon père. Tout ce qui l'intéresse, c'est où je serai l'année prochaine.

— Oh, ai-je fait, soulagée de voir qu'on n'allait plus parler de mes parents. C'est vrai. Tu passes ton diplôme de fin d'études secondaires au printemps.

— Oui. Et mon père veut que j'aille à l'École.

C'est comme ça qu'on disait dans la région : l'École, pour l'École navale.

Je me demande quel effet ça doit faire d'avoir un père militaire qui enseigne, qui plus est, dans la plus prestigieuse école navale du pays. Je parie que le père de Will ne donnerait jamais de salade de pommes de terre à son fils pour le déjeuner.

Et je parie aussi qu'il aurait tenu compte de l'avertissement concernant la façon de gonfler le matelas gonflable de son fils.

— J'ai entendu dire que c'était une super école, ai-je déclaré en imaginant Will dans l'uniforme blanc des aspirants. Et que c'était très difficile d'y entrer.

— Je sais, a-t-il répondu avec un haussement d'épaules tout en écartant une branche. J'ai le niveau, les notes qu'il faut, tout. Sauf que je ne suis pas sûr de vouloir faire carrière dans l'armée.

100

Tu vois ce que je veux dire ? Vivre à l'étranger. Rencontrer des gens. Et ensuite les tuer.

— Je comprends. Tu en as parlé à ton père ?

— Oh, oui !

— Et ? ai-je demandé, voyant que Will n'ajoutait rien. Qu'est-ce qu'il a dit ?

— Il s'est fichu en pétard, a-t-il marmonné avec un nouveau haussement d'épaules.

— Oh.

J'ai songé à mes parents, à ce moment-là. Ils nous ont toujours conseillé, à Geoff et à moi, de devenir profs d'université. « Pensez aux trois mois de vacances, l'été », ne manquent-ils pas de nous rappeler chaque fois, histoire de nous allécher.

Sauf que je préférerais gagner ma vie en m'allongeant sur une planche de fakir plutôt qu'en écrivant des articles à longueur de journée. Ce que je leur rétorque systématiquement d'ailleurs.

Mais ils ne se mettent pas en pétard pour autant.

— Qu'est-ce que tu voudrais faire ? ai-je demandé.

— Je ne sais pas, a répondu Will. Mon père dit que chez les Wagner, les hommes ont toujours été de ces militaires qui... (Will a alors levé les mains et a dessiné en l'air le signe « entre guillemets »

101

avec ses doigts) ... changent le monde. (Puis il a abaissé les mains et a ajouté :) Je veux changer le monde, mais pas en tuant des gens.

J'ai repensé à cette scène à laquelle j'avais assisté, dans le couloir du lycée, quand Will était venu au secours du petit Ted et avait réussi à contrôler Rick. Pour moi, il avait déjà commencé à changer le monde.

— Je comprends, ai-je dit.

— Excuse-moi ! a-t-il lancé en éclatant brusquement de rire tout en se passant la main dans les cheveux. Je ne devrais pas me plaindre. Mon père veut m'envoyer dans l'une des meilleures écoles du pays et est prêt à payer mes études. Tout le monde n'a pas les mêmes problèmes que moi, n'est-ce pas ?

— En fait, c'est problématique si la seule école pour laquelle ton père est prêt à payer est justement celle où tu ne veux pas aller... Surtout, si tu ne veux pas être militaire. J'ai cru comprendre qu'apprendre à tirer et tout ça fait partie de l'enseignement dispensé à l'École. À en juger, du moins, par les tirs au canon qu'on entend tous les jours.

— Oui, a fait Will.

On avait alors atteint le sentier. Une femme, son terrier en laisse, est passée rapidement devant nous et, sans doute effrayée de nous voir surgir de la ravine, nous a délibérément ignorés.

J'ai jeté un coup d'œil à Will pour voir s'il l'avait remarquée. Il souriait.

— À tous les coups, elle pense qu'on vient de faire un sacrifice à Satan, a-t-il murmuré une fois la femme loin.

— Et que son chien sera notre prochaine victime.

Will a éclaté de rire tout en m'entraînant hors de l'arboretum, en direction du parking et de sa voiture. Après l'obscurité de la forêt, les derniers rayons de soleil paraissaient particulièrement vifs. On aurait dit qu'ils traçaient le pourtour du terrain de base-ball. Un filet de fumée, d'un barbecue sans doute, s'élevait dans le ciel, et les cigales entamaient ici et là leur sérénade du soir.

— Dis-moi, a lancé Will, rompant brusquement notre silence. Qu'est-ce que tu fais samedi soir ?

— Samedi soir ?

Je l'ai dévisagé en clignant des yeux. D'accord, les cigales faisaient un raffut d'enfer, mais elles ne chantaient tout de même pas suffisamment fort pour avoir couvert la question de Will.

Car si j'avais bien entendu... et je pense avoir

bien entendu, Will me proposait de sortir avec lui samedi soir.

— Je fais une fête, a-t-il ajouté.

Ah bon...

— Une fête ? ai-je répété bêtement.

— Oui, samedi soir. Après le match.

Je devais vraiment avoir l'air demeurée parce qu'il a ajouté en souriant :

— Le match de football. Avalon joue contre Broadneck. Ça te dit de venir nous voir jouer ?

Je n'avais jamais assisté à un match de football de ma vie. Vous vous souvenez de mon histoire de planche de fakir ? Eh bien, je crois que là aussi je préférerais m'allonger sur l'une d'elles plutôt que de passer deux heures à regarder des garçons courir après un ballon.

À moins, bien sûr, qu'A. William Wagner ne fasse partie de l'équipe.

— Oui ! Super ! me suis-je exclamée en me demandant ce qu'on portait à un match.

— Génial. La fête aura lieu après le match. Chez moi.

C'était la première fois que j'étais invitée à une fête. Une fête de garçons, je veux dire. Quand Nancy organisait quelque chose pour son anniversaire, seule notre bande venait, et notre bande, ce n'étaient que des filles. Une fois, un garçon de l'athlétisme avait convié toute l'équipe chez lui, garçons et filles confondus. Mais, au bout du compte, mes amies et moi étions restées entre nous tandis que les garçons nous avaient ignorées, trop occupés qu'ils étaient à admirer les performances des pompom girls.

Est-ce que la fête de Will serait comme ça ? Si oui, pourquoi se donnait-il la peine de m'inviter ?

— Ah... Ce sera chez toi ? ai-je commencé en cherchant désespérément une excuse pour ne pas y aller.

En même temps, je brûlais d'envie de voir où il habitait. Je voulais tout savoir de lui.

Sauf que Jennifer Gold serait là. Et est-ce que j'avais envie de le voir avec une autre fille ? Pas vraiment.

Will a dû deviner mon hésitation – la deviner et mal l'interpréter –, car il a déclaré :

— Ne t'inquiète pas, on ne fera pas de folies. Mes parents seront là. Je suis sûr que tu t'amuseras. On se mettra autour de la piscine. Tu peux emporter ton matelas, si tu veux.

Je n'ai pas pu m'empêcher de sourire quand il a dit cela.

À moins que ce ne soit à cause du coup de coude amical qu'il m'a donné dans les côtes au même moment.

Eh oui.

J'en suis là...

— OK, me suis-je entendue dire. Je viendrai mais... sans mon matelas. Il n'a pas le droit de sortir tard le soir. Il doit être de retour à neuf heures.

Will a souri à son tour puis, regardant au-delà de moi, il a lancé :

— Hé ! Tu as soif ?

Je me suis tournée dans la direction qu'il m'indiquait. Des enfants avaient installé une table pliante au bord de la route avec une pancarte sur laquelle on pouvait lire : LIMONADE : 25 cents.

— Viens ! Je t'offre une limonade.

— Ouah ! Tu fais des folies !

Sur la table, couverte d'une nappe à carreaux, une rose à moitié ouverte trônait dans un vase à côté de l'inévitable pot en plastique et d'une collection de tasses, en plastique également. Trois garçons, dont le plus âgé devait avoir dans les neuf ans, se tenaient derrière, à l'affût des clients.

— Vous voulez une limonade ? nous ont-ils demandé en chœur.

— Elle est bonne au moins ? a fait Will. Parce que je n'ai pas l'intention de dépenser autant d'argent si vous ne vendez pas la meilleure limonade de toute la ville.

— Elle est excellente ! se sont écriés les trois enfants. C'est la meilleure ! On l'a faite nous-mêmes.

— Voyons voir, a continué Will, avec un air faussement sceptique. Qu'en penses-tu ? m'a-t-il demandé.

J'ai haussé les épaules.

— Le mieux, c'est d'essayer, non ?

— Oui, essayez, essayez ! se sont exclamés les garçons.

Puis le plus âgé, s'arrogeant sans doute le droit de diriger la suite des événements, a déclaré :

— Écoutez, vous n'avez qu'à la goûter et, si vous la trouvez bonne, vous pourrez nous en acheter.

Will a fait mine de réfléchir, puis a répondu :

— OK. Ça marche.

Le plus jeune des garçons a alors versé une petite quantité de limonade dans une tasse et l'a tendue à Will. Après avoir senti le breuvage, Will en a avalé une gorgée qu'il a fait rouler dans sa bouche à la manière des goûteurs de vin.

Les enfants étaient ravis du spectacle. Ils gloussaient, ils étaient aux anges.

Moi aussi, je dois l'admettre. Comment aurais-je pu ne pas l'être ?

— Elle a du bouquet, a déclaré Will. Elle est piquante et pas trop sucrée. Une excellente année pour la limonade, de toute évidence. Nous prendrons deux tasses.

— Deux tasses ! se sont écriés les trois enfants en se bousculant pour les servir. Ils prennent deux tasses !

Une fois les deux tasses servies, Will en a pris une et me l'a présentée avec un grand geste du bras.

Je lui ai répondu par une révérence.

— Merci, ai-je dit.

— Tout le plaisir est pour moi.

Will a alors sorti son portefeuille de la poche arrière de son jean et en a extrait un billet de cinq dollars.

— Tenez, a-t-il dit en posant le billet sur la table. Vous pouvez garder la monnaie si vous me donnez cette rose, là, dans le vase.

Les trois enfants sont restés bouche bée devant le billet de cinq dollars. Puis le plus âgé, encore une fois, s'est emparé de la rose et l'a tendue à Will.

— Voilà. Elle est à vous.

— Merci, a répondu Will poliment.

Puis, sa tasse à la main, il a commencé à s'éloigner tandis que derrière lui les trois enfants contenaient tant bien que mal leur joie.

— Cinq dollars ! s'écriaient-ils. C'est plus que ce qu'on gagne en une journée !

Tout en souriant, j'ai emboîté le pas à Will.

— Tu sais qu'ils vont s'empresser de dépenser leur argent en bonbons qui vont pourrir leurs dents ? l'ai-je informé une fois arrivée à sa voiture.

— Oui, a répondu Will.

Et, sans me regarder, il m'a offert la rose.

— Tiens, c'est pour toi.

J'ai baissé les yeux sur la fleur – si petite, si rose et si parfaite –, totalement ahurie.

— Oh, ai-je murmuré, brusquement très gênée. Je... je ne peux pas.

Will a alors tourné la tête et j'ai vu un éclat de rire se dessiner sur ses lèvres.

Mais ses yeux, étrangement, ne riaient pas. Ils me scrutaient avec intensité, cette même intensité que j'avais sentie dans sa voix quand il s'était adressé à Rick, l'autre jour dans le couloir du lycée.

Ce n'était pas le moment de plaisanter.

— Elle, a-t-il dit. Prends-la, c'est tout.

C'était la première fleur qu'un garçon m'offrait.

Ce qui explique pourquoi, même après que Will m'a déposée chez moi et m'a quittée, mon cœur a mis des heures avant de recommencer à battre normalement.

✥ CHAPITRE 7 ✥

Elle a laissé sa toile, son métier à tisser
Elle a fait trois pas dans la chambre
Elle a vu éclore le nénuphar
Elle a vu le heaume et la plume.
Elle se tourne vers Camelot.

Alors que je me documentais sur ce vieil Arthur pour l'exposé de littérature classique – ce qui n'était pas facile car, ayant posé la rose de Will dans un vase près de mon lit, mon regard était sans cesse attiré vers elle –, j'ai fait quelques découvertes assez intéressantes. Comme ce qui a inspiré la comédie musicale, *Camelot,* que ma mère adore et qu'elle m'a fait écouter des milliers de fois. En gros, le roi Arthur accomplit toutes sortes d'actes plus héroïques les uns que les autres pour sortir son peuple de l'âge des ténèbres et le défendre contre les Saxons. Puis il s'arrange pour épouser une princesse du nom de Guenièvre, laquelle le laisse tomber pour son chevalier préféré, Lancelot (qui, de son côté, laisse tomber Elaine d'Astolat, autrement appelée la Dame de Shallot, pour Guenièvre, donnant ainsi matière à ma mère pour écrire son livre).

Si ça s'est probablement passé comme ça dans la réalité, ce n'est pas Lancelot qui tue Arthur à cause de Guenièvre, mais Mordred, son demi-frère (ou son frère, selon certaines traductions). En fait, Mordred était jaloux des exploits d'Arthur et de l'amour que son peuple lui portait. Du coup, il complote son assassinat afin de monter sur le trône à sa place – et même d'épouser la reine Guenièvre, d'après certaines sources.

Les Pendragon (c'est le nom de famille d'Arthur) étaient sacrément tordus, si vous voulez mon avis.

Mais pour rien au monde je ne reconnaîtrais devant mes parents que je trouvais finalement la légende du roi Arthur plutôt cool. S'il y a eu autant de films, de poèmes et de comédies musicales sur lui – sans parler des lycées qui adoptent le nom d'Avalon, en hommage à l'île mythique où il est enterré –, c'est parce que sa vie illustre à merveille la théorie de l'histoire héroïque, à savoir qu'un individu – et non une armée ou un dieu ou encore un super héros, mais juste un type normal

– peut changer irrémédiablement le cours des événements.

Ce qui explique pourquoi, d'après un des livres de ma mère, toute une société de gens pensent qu'Arthur, dont le corps a été expédié sur l'île imaginaire d'Avalon par la Dame de Shallot, n'est pas mort mais gît endormi, en attendant de se réveiller quand le monde aura besoin de lui.

Je ne plaisante pas. Cette bande de losers se fait appeler l'ordre des Ours, l'Ours ayant été le surnom du roi Arthur. Ils sont persuadés qu'Arthur va se réveiller un beau jour et conduire le monde moderne vers un nouvel âge des lumières, comme il l'a fait il y a quinze cents ans. Et d'après les membres de l'ordre des Ours, si Arthur ne se réveille pas, c'est à cause des forces du Mal.

Ben voyons.

J'ai essayé toutefois de ne pas laisser transparaître mon scepticisme sur l'existence de ces forces du Mal dans ce que j'écrivais pour Mr. Morton.

Et je n'ai surtout pas révélé à mes parents le sujet de mon exposé. Dans leur enthousiasme, ils m'auraient à tous les coups noyée sous les informations et les documents jusqu'à ce que je m'enfuie de la maison en hurlant. Parfois, il vaut mieux que les parents ne soient au courant de rien.

C'est comme pour la course.

Les épreuves éliminatoires avaient lieu dans vingt-quatre heures et je ne leur ai pas dit que j'avais peur de ne pas être sélectionnée. Grand bien m'en a pris car j'ai appris que les scores de certaines filles étaient très exagérés. Résultat, j'ai franchi la ligne d'arrivée haut la main et j'ai été qualifiée aisément.

Liz était super impressionnée par ma performance.

— C'est génial, Ellie ! s'est-elle exclamée alors qu'on attendait Stacy, une fille de l'équipe qui habitait elle aussi dans la même rue que nous et qui s'était proposé de nous raccompagner en voiture. Au fait, il faut que je t'explique en quoi consiste le bizutage à Avalon High, a-t-elle poursuivi. Ce n'est pas grand-chose, je te rassure. En gros, Cathy, la capitaine de l'équipe d'athlétisme, est censée débarquer chez toi en pleine nuit et t'emmener chez Storm Brothers où tu devras manger une maxi glace avec double portion de chantilly.

Vu que c'était le genre d'initiation que j'avais toutes les chances d'apprécier, je n'étais pas trop inquiète.

— Elle aura probablement lieu dans la nuit de samedi à dimanche, a-t-elle ajouté.

— Dans la nuit de samedi à dimanche ? ai-je répété. Ça pose un problème. J'ai promis à Will Wagner d'aller à sa fête après le match de football.

Liz a écarquillé les yeux.

— Tu es invitée à la fête de Will Wagner ? s'est-elle exclamée, totalement abasourdie.

Suffisamment en tout cas pour que je me sente mal à l'aise.

— Eh bien... oui. Il m'a invitée.

— Quand ?

— Hier, ai-je répondu. Je l'ai croisé au parc Anne Arundel. Je courais et il était assis...

— Sur son rocher ? m'a coupée Liz. C'est donc vrai ?

J'ai froncé les sourcils.

— De quoi tu parles, Liz ?

— Il paraît que Will ne tourne pas rond en ce moment.

— Will ? ai-je fait, sous le choc. Mais pourquoi ?

— Parce qu'il a passé tout l'été au fond de cette ravine, assis sur son rocher. Il paraît même qu'il a séché l'entraînement de foot deux fois cette semaine pour y aller. J'ai entendu dire qu'il aimait bien s'asseoir là pour réfléchir. Réfléchir ! Qui est-ce qui fait encore ça de nos jours ?

Inutile que je confie à Liz que, moi, je fais ça pendant des après-midi entiers, allongée sur mon matelas.

— Cela dit, a-t-elle continué, il y a des gens qui racontent des trucs...

— Quels trucs ? ai-je demandé, plus brusquement que je ne l'aurais voulu.

— Que Will va là pour échapper à son père.

— Son père ? ai-je répété en feignant de n'être au courant de rien.

— Oui. À cause de ce qu'il a fait.

— Qu'est-ce qu'il a fait ?

Je ne comprenais rien à ce que Liz me racontait. Le père de Will n'avait rien fait de particulier, à part essayer de convaincre son fils d'entrer à l'École navale. Et il n'y était pas encore arrivé.

— Il a tué son meilleur ami, a répondu Liz d'une voix neutre. Il le connaissait depuis des lustres. Je crois qu'ils ont fait leurs classes ensemble. Bref, l'amiral Wagner l'a envoyé dans une zone de combat outremer il y a un an ou deux et le type est mort dans un accident d'hélicoptère.

— Mais..., ai-je commencé.

En vérité, j'étais incapable de savoir si je devais ou non croire Liz. Liz adore les commérages.

En même temps, ce n'était pas son genre de mentir.

— Ça ne veut pas dire pour autant que le père de Will l'a tué, ai-je ajouté. La mort de cet homme est un accident. Un hasard terrible, mais un hasard quand même.

— C'est vrai, a concédé Liz, et j'imagine que c'est un hasard aussi si six mois plus tard l'amiral Wagner a épousé la femme de son défunt ami.

Ouah...

Apparemment, mon cri avait dû m'échapper car Liz a hoché la tête et a poursuivi :

— Oui, comme tu dis. Résultat, les gens racontent que le père de Will a muté exprès son ami dans un endroit dangereux, parce qu'il était amoureux de sa femme depuis des années et attendait le moyen de se débarrasser de lui pour pouvoir l'épouser.

Je suis restée sans voix. Will ne m'avait pas du tout parlé de ça. Bon, d'accord, un unique dîner et une limonade ne faisaient pas de nous les plus grands confidents de la terre, mais quand même. Il s'était ouvert à moi sur pas mal de sujets. Comme le fait qu'il ne voulait pas aller à l'École navale.

Et la rose ! Que signifiait la rose ?

— Tu comprends maintenant pourquoi Will

n'aime pas passer beaucoup de temps chez lui avec sa nouvelle belle-mère et un père qui a fait un truc pareil. Sans parler de Marco.

— Qui est Marco ? ai-je demandé, de plus en plus déroutée.

Stacy, la fille qui avait proposé de nous raccompagner, est arrivée sur ces entrefaites. Mais ce n'est pas parce qu'elle avait plus d'une demi-heure de retard qu'elle se pressait pour autant ! Bien sûr, sa spécialité à elle, c'est le saut en hauteur. Et pour les sauteurs, la vitesse ne compte pas. C'est plutôt la gravitation qu'ils doivent défier.

— Quoi ? s'est-elle exclamée quand elle a entendu ma question. Elle ne sait pas qui est Marco ?

Et sur cette interrogation, elle a éclaté de rire.

— Je sais, a fait Liz en roulant des yeux. Mais Ellie est nouvelle.

— Bon alors ? Vous me dites qui est ce Marco ?

— Il s'appelle Marco Campbell. C'est le demi-frère de Will. Le fils du type qui est mort.

— Il est complètement toc-toc, a ajouté Stacy.

Je sais que je les dévisageais toutes les deux bouche bée, mais tant pis, je ne pouvais pas me retenir.

— Et Marco vit avec eux ?

— Malheureusement, oui, a soupiré Stacy. Parce qu'ils aimeraient bien se débarrasser de lui, si tu veux mon avis.

— Mais pourquoi ?

— Stacy vient de te le dire, a répondu Liz. Il est complètement barge. Il s'est fait renvoyer d'Avalon High l'année dernière, un mois avant les examens, pour avoir tenté de... de tuer un prof.

Si pendant toute cette conversation j'étais restée assise au bord du trottoir, en entendant ça, je me suis brusquement levée et j'ai fait face aux deux filles.

— Ah, j'ai compris ! me suis-je tout à coup exclamée. Tout ça fait partie de... comment dites-vous déjà ? Ah oui, mon initiation. Vous êtes en train de vous payer la tête de la nouvelle, c'est ça, hein ?

Stacy a plissé les yeux à cause du soleil avant de déclarer, l'air très sérieux :

— Non, c'est la pure vérité. L'administration du lycée a essayé d'étouffer l'affaire et il paraît qu'il n'y avait pas suffisamment de preuves pour engager des poursuites contre Marco, mais il a quand même été renvoyé. Tout le monde ne parlait que de ça au bahut, à la fin de l'année.

— Stacy ne te raconte pas de craques, Ellie, a

confirmé Liz tout en se levant à son tour. Bien sûr, Marco a invoqué la légitime défense. Il a dit que c'était le prof qui avait tenté de le tuer et que lui n'avait fait que se défendre. Comme si on allait le croire. Il est censé commencer la fac cette année, enfin... s'il est accepté quelque part. Ce dont je doute, vu son dossier. Et ce n'est pas parce qu'il n'est pas intelligent, au contraire même. C'est plutôt à cause de son comportement.

Je n'en revenais pas. Comment Will avait-il pu taire ce chapitre de son histoire familiale ? Que son père veuille l'envoyer à l'École Navale, oh, ça, il m'en avait parlé, mais qu'il ait délibérément envoyé son meilleur ami dans un pays en guerre et s'empresse ensuite d'épouser sa femme une fois le pauvre homme mort, il s'était bien gardé de me le dire. Tout comme il n'avait fait aucune allusion à ce demi-frère qui avait été renvoyé du lycée pour avoir tenté de tuer un prof.

OK, ce n'est peut-être pas le genre de confidences qu'on fait à une parfaite inconnue, même si elle vous a laissé goûter à son plat de nouilles thaï.

Will ne tenait probablement pas à en parler. Ce que je peux comprendre. N'est-ce pas le genre de choses que quiconque préférerait oublier ? Et qui pourrait expliquer l'ombre que j'avais vue par deux fois voiler son visage.

Mes parents seront là. C'est ce que Will avait dit lorsqu'il avait évoqué sa fête. Que ses parents seraient là. Non pas son père et sa belle-mère. Mais ses parents.

— Qu'est-il arrivé à la mère de Will ? ai-je demandé à Liz tandis qu'on suivait Stacy vers sa voiture. À sa vraie mère, je veux dire.

Liz a haussé les épaules.

— Elle est morte. Il y a très longtemps, je crois. En tout cas, Will n'en parle jamais.

Donc, la mère de Will était décédée. Il ne me l'avait pas dit non plus.

Peut-être était-ce pour ça qu'il recherchait la solitude et aimait écouter de la musique médiévale ? Si votre père avait tué son meilleur ami pour convoler ensuite avec la femme de celui-ci tout en vous harcelant quotidiennement pour que vous fassiez carrière dans l'armée afin de changer le monde, qui sait si vous ne vous isoleriez pas aussi pour réfléchir ?

J'avoue qu'à ce moment-là j'étais bien contente de m'appeler Elaine Harrison et non A. William Wagner.

— Au fait, pourquoi est-ce qu'on ne parle que de Will Wagner ? a demandé brusquement Stacy

121

alors qu'on montait toutes les trois dans sa voiture.

— Parce que Harrison, ici présente, a été invitée à la fête qu'il donne chez lui samedi soir après le match contre Broadneck, a expliqué Liz.

— Ouah ! s'est exclamée Stacy. La nouvelle s'en sort plutôt bien, non ? Les cours ont à peine repris qu'elle traîne déjà avec le gratin du lycée.

— Ce n'est pas ça, ai-je fait observer en devinant dans le ton de Stacy comme une note de reproche. Et puis, je n'ai rien à voir avec eux.

— Tu te trompes, m'a assuré Liz. Si Will Wagner t'invite chez lui, c'est qu'il considère que tu as l'étoffe d'une star.

— J'ai entendu dire aussi que Lance Reynolds faisait équipe avec toi pour un exposé que Morton vous a donné, a ajouté Stacy.

— Une minute ! Je n'ai pas choisi de travailler avec Lance ! C'est Mr. Morton qui nous a dit de nous mettre ensemble !

— Écoutez-la ! a continué Stacy en gloussant. Tu as l'air de trouver ça outrageant. Sais-tu combien de filles aimeraient être à ta place, Ellie ? Lance Reynolds est le garçon le plus sexy du bahut. Et il n'a pas de petite amie...

— Vous plaisantez ou quoi ? me suis-je écriée. Ce type est un vrai hippopotame !

— Un *hippopotame* ? a répété Stacy. Tu y vas un peu fort.

— Oui, a renchéri Liz. Surtout pour quelqu'un qui est invité à la fête de son meilleur ami.

— Je n'arrive pas à croire que vous trouviez Lance sexy, ai-je déclaré.

C'est vrai, quoi. Comparé à Will, Lance était falot comme... comme un pancake froid sans sirop d'érable.

— En tout cas, il est gentil, a dit Liz. Un peu endormi, mais gentil. Comme un gros nounours. Le problème, c'est qu'il est seul. Il a juste besoin de l'amour d'une jeune fille pour réveiller en lui toutes les qualités qui le transformeraient en homme parfait.

— Tu ne trouves pas qu'Ellie pourrait être cette fille ? a demandé Stacy à Liz.

— Eh bien, maintenant que tu le fais remarquer, oui, effectivement. Ellie est tout à fait la fille qu'il faut à Lance.

Là-dessus, elles ont éclaté de rire toutes les deux.

Je savais bien qu'elles me taquinaient mais en même temps ce n'était pas plus mal qu'elles pensent que Lance ne me déplaisait pas. Je ne tenais pas trop à ce qu'on sache la vérité.

Toute la journée, j'avais espéré voir Will dans

les couloirs entre deux cours. J'avais même répété dans ma tête ce que je voulais lui dire. *J'ai entendu dire que Broadneck a mené 2 à 0 la dernière fois. Vous avez intérêt à mettre le paquet !*

Qu'est-ce que vous croyez ? Je suis une petite maligne ! J'avais passé la soirée sur Internet à me renseigner sur Broadneck. Je m'étais même entraînée à dire ma fameuse phrase devant le miroir. Comme ça, Will aurait pensé que je m'y connaissais en football, alors qu'en réalité je ne sais rien de ce jeu.

Mais je n'ai pas vu Will. Et à présent, je me rendais compte qu'il n'y avait pas qu'en football que je ne savais rien. Je ne savais rien non plus de A. William Wagner, le garçon dont j'étais de toute évidence tombée follement amoureuse.

Mais je savais une chose : je tiendrais toujours en haute estime quiconque est capable de plaisanter avec des gamins comme Will l'avait fait avec les trois vendeurs de limonade, ou de défendre un pauvre bougre comme là aussi il l'avait fait devant la classe de Mr. Morton, quoi que son père – ou son demi-frère – ait soi-disant fait.

Je savais autre chose aussi : quiconque avait une vie de famille aussi compliquée que Will avait besoin de rire de temps en temps. Ce n'était pas étonnant qu'il recherche ma compagnie.

Et tant pis pour Nancy qui pense que les garçons ne tombent jamais amoureux des filles qui les font rire. Moi, je n'allais pas changer. Parce que si c'est ça que Will voulait, eh bien, c'est ça que je lui donnerais.

Même si mon cœur devait se briser en mille morceaux.

CHAPITRE 8

Là, elle tisse de nuit et de jour
Un tissu magique aux couleurs éclatantes,
Elle a entendu une rumeur dire
Qu'une malédiction s'abattrait sur elle
si elle restait
À regarder en bas vers Camelot.

Je n'ai jamais été très fille, c'est-à-dire que je n'ai jamais eu de poupées Barbie, je ne me suis jamais beaucoup intéressée à la mode, je ne suis jamais allée chez la manucure et j'ai les cheveux longs parce que j'ai la flemme de les faire couper régulièrement – en gros, je les attache le matin, et c'est tout.

Mais le soir du match et de la fête de Will, j'ai vraiment fait un effort pour être jolie.

Je ne sais pas pourquoi. Après tout, Will n'était même pas libre. Et même s'il l'était, rien ne prouvait qu'il m'appréciait. Oh, bien sûr, je l'avais fait rire – et je m'étais assise sur un rocher à côté de lui et l'avais écouté me parler de ses problèmes avec son père.

En même temps, il ne m'avait pas vraiment *tout* dit sur son père. Ce n'est pas comme si j'étais sa grande confidente. Non, j'étais juste une fille marrante qu'il avait rencontrée. Et qu'il aimait bien. Le lendemain du jour où il m'avait offert la rose – le jour où j'avais été qualifiée pour faire partie de l'équipe d'athlétisme –, j'avais trouvé ce mail de lui, en rentrant chez moi :

CAVALIER : Salut ! J'espère que tu as passé une bonne journée et que tu as battu ton record à la course. C'est dans la poche, t'inquiète pas.

Il n'avait pas oublié. Lorsqu'il m'avait raccompagnée chez moi, la veille des éliminatoires, j'avais très brièvement mentionné que j'envisageais d'entrer dans l'équipe d'athlétisme. Et il s'en était souvenu.

Mais n'est-ce pas ce que font les amis ? Se rappeler nos projets. Ça ne signifiait rien de plus. Rien de plus que le simple fait qu'on était amis.

Je lui avais répondu dans la minute, bien sûr. Histoire de partager avec lui la bonne nouvelle, c'est tout.

TIGRE : Salut à toi ! J'ai réussi ! Merci pour tes encouragements.

CAVALIER : Tu vois ? Je te l'avais dit. Félicitations. Avec toi dans l'équipe, Avalon High va déchirer !

C'était de toute évidence le genre de choses qu'un ami écrit. Car les amis sont là pour nous soutenir. Tout comme ils nous saluent quand ils nous croisent dans le couloir (ce que faisait Will) ou nous font signe lorsqu'ils nous voient sur le parking (ce qu'avait fait Will également). C'est comme ça qu'on se comporte avec ses amis.

Et Will avait beaucoup d'amis. Tout le monde l'aimait à Avalon High. Pas seulement ses copains de l'équipe de football, mais les autres élèves aussi, ceux qui étaient moins sportifs et même ceux qui n'étaient pas sportifs du tout.

D'ailleurs, le vendredi, quand tout le lycée s'est retrouvé avant le match pour encourager les joueurs, un tonnerre d'applaudissements a retenti à la lecture de son nom. Will est arrivé en courant et tout le monde – des petits qui boudaient parce qu'ils n'avaient pas envie d'être là jusqu'aux skaters et aux punk rockers – s'est levé pour l'ovationner.

Lorsqu'il a compris que les acclamations et les cris ne cesseraient pas tant qu'il n'aurait pas pris la parole, il s'est saisi du micro que lui tendait Mr. Morton – qui, pour l'occasion, tenait le rôle de meneur de jeu, incitant les supporters à crier « Excalibur ! », qui est, si vous voulez mon avis, le pire cri d'encouragement qu'un lycée peut avoir – et a dit :

— Merci, merci beaucoup. Je vous promets qu'on va essayer de jouer du mieux qu'on peut ! J'espère que vous assisterez tous au match et que vous nous soutiendrez !

Will avait à peine fini sa phrase qu'une immense clameur est montée des gradins, couvrant les *Excalibur* que scandaient Mr. Morton et les supporters d'Avalon High.

Will a alors rendu le micro à Mr. Morton et, quand son regard a croisé le mien – oui, le mien – et qu'il m'a souri, je me suis dit que c'était quelque chose qui se faisait entre amis. Même si je sentais que Liz et Stacy, assises à côté de moi, me dévisageaient en fronçant les sourcils.

— Est-ce que c'est à toi qu'il..., a commencé Liz.

— On est juste amis, me suis-je empressée de dire.

— Tant mieux. Parce qu'il faut que tu saches que Will et Jennifer...

— ... forment LE couple du lycée, a fini pour elle Stacy.

— Oui, je sais, ai-je fait. Ne vous inquiétez pas. Will et moi sommes juste... amis.

— J'aimerais avoir un ami aussi sexy, a murmuré Stacy. Et aussi sympa. Et intelligent. Et drôle.

Liz lui a donné une tape sur le bras.

— Et moi, alors ? Je suis sexy, sympa, intelligente et drôle.

— Oui, mais je n'ai pas envie de t'embrasser sur la bouche, a répondu Stacy.

Liz a lâché un soupir.

— Tu as raison. Si Will Wagner et moi étions *juste amis*, crois-moi que je m'arrangerais pour que ça ne dure pas longtemps.

— Tu n'as peur de rien, a fait observer Stacy sur un ton sarcastique. En tout cas, tu n'as pas peur de *ça*.

On a regardé dans la direction qu'elle nous indiquait. Jennifer Gold accomplissait une série de sauts en rythme avec l'orchestre, sur une version rapide de *What I like about you*. Ses longues jambes bronzées brillaient telles des lames de rasoir, et chaque fois qu'elle retombait sur ses pieds, ses longs cheveux blonds se remettaient en place le plus naturellement du monde.

— Je la déteste, a marmonné Liz sans réelle rancœur, mais résumant à la perfection ce que je ressentais à ce moment-là.

En même temps, ce genre de sentiment était injuste. Jennifer n'était pas méchante. Tout le monde l'appréciait. Je n'avais pas le droit de la détester. Bien sûr, Will s'était confié à moi, il m'avait offert une rose et invitée à sa fête.

Mais on n'était qu'amis.

Ce qui ne m'a pas empêchée de me mettre en minijupe et de me maquiller – ce qui ne m'arrive jamais – le soir du match contre Broadneck. Même mon père l'a remarqué.

— Tout ce que je te demande, c'est d'éviter le centre-ville, a-t-il déclaré, inquiet à l'idée que je tombe sur une bande d'aspirants en goguette.

Lorsque j'ai retrouvé Stacy et Liz – Stacy était au volant de sa voiture –, les deux filles m'ont sifflée d'un air appréciateur.

— Tu es sûre de vouloir t'asseoir à côté de nous, Cendrillon ? a plaisanté Liz. Comparé à toi, on fait un peu soubrettes, non ?

Je n'ai pas pris la mouche. Leurs moqueries signifiaient qu'elles m'avaient acceptée, et je pré-

férais de loin ça à une remarque polie, du genre
« Tu es très jolie, Ellie ».

Je n'avais jamais assisté à un match de football.
Geoff, mon frère, faisait du basket à Saint Paul.
J'étais allée le voir jouer plusieurs fois, non pas
pour lui assurer mon soutien de petite sœur, mais
parce que Nancy avait le béguin pour lui et en
aurait fait une maladie si on avait raté l'un de ses
matchs.

Honnêtement, je ne peux pas dire que je
regrette de ne pas m'être intéressée au football
plus tôt – du moins à en juger par la rencontre
Avalon-Broadneck. Attention, je ne suis pas en
train de me plaindre. Je trouvais ça sympa d'être
assise sur les gradins, sous un ciel étoilé tout en
mangeant des pop-corn.

Non, c'est le jeu en lui-même qui m'ennuyait.
De toute façon, je n'y comprenais rien. Et les
joueurs portaient tellement de protections qu'on
ne pouvait les reconnaître qu'en lisant leur nom
inscrit au dos de leur tee-shirt.

Mais, apparemment, j'étais la seule à penser ça.
Toutes les personnes présentes sur les gradins
– y compris Liz et Stacy – étaient à fond dans le
match et se joignaient aux chants de Jennifer
Gold et des autres pompom girls, poussant des

cris hystériques chaque fois qu'Avalon marquait un point ou en perdait un.

Au bout d'un moment, Liz a tenté de m'expliquer les règles. La position de Will – quart arrière – était capitale : il était le cerveau des opérations. Lance, lui, était gardien, et son rôle consistait à empêcher que Will ne soit plaqué au sol chaque fois qu'il avait le ballon – ce qui arrivait souvent.

Avalon High était visiblement une équipe de renom ; elle avait d'ailleurs joué en championnat d'État l'année précédente, et tout laissait à penser qu'elle recommencerait cette année, du moins si les joueurs se défendaient aussi bien.

Sauf qu'ils donnaient l'impression d'être dépassés par les événements. À la mi-temps, Broadneck menait 14 à 0, et de plus en plus de supporters dans les tribunes enrageaient.

J'avoue que je m'en fichais un peu qu'on gagne ou pas. De toute façon, je ne suivais pas vraiment le jeu. Je ne regardais que Will. Il était tellement mignon avec son collant blanc à aller d'un joueur à l'autre pour lui expliquer quelle serait leur prochaine tactique. Il y a quelque chose d'enivrant, je trouve, chez quelqu'un qui a le pouvoir... surtout quand cette personne est aussi séduisante que Will.

134

Évidemment, je n'ai rien soufflé de mon attirance à Liz ou à Stacy. De toute façon, elles semblaient penser de plus en plus qu'il y avait quelque chose entre Lance et moi, vu les coups de coude qu'elles me donnaient chaque fois que Mr. Morton prononçait son nom dans le micro. C'était finalement plus facile de les laisser croire ça que de leur avouer la vérité.

Pour en revenir au match, je m'ennuyais tellement que lorsque les joueurs se sont arrêtés à la mi-temps, j'ai aussitôt proposé d'aller chercher des hot-dogs.

Alors que je me dirigeais vers le stand, j'ai entendu quelqu'un m'appeler. Qui cela pouvait-il bien être ? À part Liz, Stacy, Will, Lance et Jennifer, personne ne me connaissait encore à Avalon High. D'où ma surprise quand, en me retournant, j'ai vu Mr. Morton se diriger vers moi.

— Bonsoir, Mr. Morton, ai-je dit.

— Bonsoir, Elaine, a-t-il répondu.

Peut-être est-ce parce que Mr. Morton est anglais, mais quand je l'ai entendu prononcer mon prénom, j'ai trouvé qu'il faisait encore plus vieillot que s'il l'avait dit à l'américaine. De la même manière que dans sa bouche, « Excalibur » revêtait une importance que le terme n'a pas toujours.

Quoi qu'il en soit, au son de sa voix, j'ai compris aussi que j'allais avoir des ennuis. Pourquoi ? Après tout, je ne faisais qu'acheter des hot-dogs, non ?

— J'ai lu le plan de votre exposé, a-t-il continué.

— Oh, ai-je fait.

Cela n'allait pas être si grave, finalement. Si je n'ai pas hérité de la mauvaise vue de mon père ou de sa lenteur à la course, j'avais hérité de ses excellentes méthodes de recherche et du sens de l'organisation de ma mère. Je peux le dire, je suis imbattable pour ce qui est d'écrire une dissertation ou faire un plan. La preuve, je n'ai eu que des A à mes devoirs. À tous les coups, Mr. Morton voulait me féliciter pour mon travail sur *La Dame de Shallot*.

Sauf que ce n'était pas pour me dire ça qu'il m'avait appelée. En fait, il était très contrarié par ce que je lui avais rendu.

— Vous n'avez absolument pas traité le sujet, a-t-il déclaré d'un ton sec.

L'espace d'une minute, je me suis demandé de quoi il parlait. Puis, j'ai compris.

— Oh, je vois ! me suis-je exclamée. Je suis désolée. C'est ma faute, Mr. Morton. Mais comme j'avais déjà lu *Beowulf* (j'ai pensé qu'il valait mieux dire ça que la vérité, à savoir que je déteste *Beowulf*. On ne sait jamais avec les profs... ils peuvent se montrer très susceptibles, parfois), on a échangé avec Ted. Il ne fallait pas ? Comme vous n'aviez pas précisé que c'était défendu...

Mr. Morton a froncé les sourcils. De toute évidence, je venais de marquer un point vu qu'il n'avait effectivement pas spécifié qu'il était interdit d'échanger les poèmes.

Mais, apparemment, il n'y avait pas que cela qui le chiffonnait.

— Avez-vous travaillé ensemble, votre partenaire et vous ?

Mon partenaire ?

Ah oui, bien sûr ! Lance.

— Oui, oui, ai-je menti. Il m'a aidée à faire des recherches.

— Permettez-moi d'en douter, a répliqué Mr. Morton.

Rien qu'à la façon dont il plissait les sourcils, j'ai vu qu'il était outré par mon aplomb.

— Je vous ai demandé de travailler à deux pour une raison bien précise, Elaine, a-t-il poursuivi durement.

— Je suis désolée.

C'était la première fois qu'un prof me parlait sur ce ton. Il faut dire que je suis plutôt du genre élève modèle. C'est comme avec le permis. J'ai peur de transgresser la loi.

— Je... euh... Lance et moi, on... s'est partagé le travail. Moi, je m'occupe de la rédaction et lui est chargé de lire notre exposé.

Mais Mr. Morton n'a pas été dupe.

— Quand je vous demande de travailler à deux, vous devez travailler À DEUX ! En ce qui vous concerne, vous deviez travailler avec Lance ! Aussi, suis-je dans l'obligation de refuser votre copie.

J'ai étouffé un cri de stupéfaction : aucun prof ne m'avait jamais refusé un devoir jusqu'à présent.

Mais Mr. Morton n'a pas semblé remarquer ma surprise car il a continué sur le même ton :

— Je voudrais vous voir lundi matin, tous les deux. Je vous attendrai donc, Mr. Reynolds et vous-même, dans ma classe à la première heure. Je compte sur vous pour le lui dire.

Je n'en revenais pas.

— Très bien, ai-je fait.

J'étais tellement sous le choc que j'en tremblais presque. Comment Mr. Morton avait-il deviné que Lance et moi n'avions pas travaillé ensemble ?

Lorsque je suis retournée à ma place, je m'étais heureusement calmée. Enfin, plus ou moins.

— Où sont les hot-dogs ? a demandé Liz tandis que je m'asseyais à côté d'elle.

Les hot-dogs ! Cette conversation avec Mr. Morton m'avait tellement bouleversée que j'avais totalement oublié d'acheter les hot-dogs.

— Je suis désolée, mais il m'est arrivé un truc incroyable.

Et je leur ai raconté, à Stacy et à Liz, ce que Mr. Morton m'avait dit.

— Vous y croyez, vous ? Est-ce qu'il a la réputation d'être un vieux loufoque rassis ? Ou bien est-ce moi ?

Ma question n'était que rhétorique. Je m'attendais à ce qu'elles me répondent : « Oui, c'est un vieux loufoque. »

Mais ça n'a pas été le cas.

— Je ne sais pas, a fait Stacy. Il me semble que tout le monde a toujours bien aimé Mr. Morton.

— Oui, a renchéri Liz. Depuis son arrivée à Avalon High, il est même élu meilleur prof tous les ans. En plus, on adore tous la façon dont il prononce « Excalibur ».

— Vous parlez sérieusement ?

— Je ne comprends pas pourquoi tu es en pétard comme ça, a fait remarquer Stacy. Après tout, il ne te demande que de passer un peu plus de temps avec ton chéri ? Où est le problème ?

Liz a éclaté de rire.

— Personnellement, je serais prête à payer pour passer plus de temps avec Lance Reynolds.

Je me suis enfoncée dans mon siège. De toute évidence, il était inutile que je leur dise que mon manque d'enthousiasme à l'idée d'avoir pour partenaire Lance venait du fait que j'étais folle amoureuse de son meilleur ami.

Du coup, je suis restée silencieuse pendant le restant du match...

Jusqu'à ce que, dans le dernier quart d'heure, alors que les deux équipes étaient ex aequo, une situation étrange ne survienne. Du moins, c'est ce que j'ai pensé. Comme c'était mon premier match, je me suis dit que cela arrivait peut-être régulièrement.

En tout cas, je sais exactement comment ça s'est passé car Will était au centre de l'action et que je ne le quittais pas des yeux. Il courait avec le ballon dans les mains, cherchant du regard et de la voix à qui l'envoyer, et Lance n'était pas à son poste pour le protéger d'un éventuel tacle. Du coup, un joueur de l'équipe adverse en a profité pour le plaquer à terre méchamment.

J'ai aussitôt bondi sur mes pieds. Où était

Lance ? Après avoir rapidement parcouru le terrain des yeux, je l'ai vu arriver en courant du bord du terrain où se tenait Jennifer Gold.

Jennifer Gold ? Qu'est-ce que Lance fabriquait à bavarder avec Jennifer Gold quand Will gisait au sol, inconscient ?

Je n'étais pas la seule à être scandalisée. Le public le huait et le sifflait, quant à l'entraîneur d'Avalon, il n'a pas hésité à frapper rageusement l'arrière de son casque quand il est passé à sa hauteur.

Une fois aux côtés de Will, Lance s'est agenouillé, a retiré son casque puis s'est penché et a appelé Will plusieurs fois de suite.

Le souffle coupé, j'ai observé la scène sans bouger, jusqu'à ce que Will esquisse lentement le geste de se relever.

J'ai alors poussé un soupir en me laissant retomber si lourdement sur les gradins que Stacy et Liz n'ont pu s'empêcher de me scruter d'un air étonné.

— Je ne pensais pas que le football était si passionnant, ai-je dit maladroitement en priant pour qu'elles ne remarquent pas mes joues en feu.

Une minute plus tard, après que Will avait semble-t-il accepté les excuses de Lance en éclatant d'un rire bon enfant, le match reprenait.

Sauf que cette fois, personne n'a cherché à plaquer Will. Quant au type de l'équipe adverse qui l'avait taclé, Lance s'est occupé de lui à la première occasion venue : il l'a saisi aux jambes et mis à terre si violemment que le match a dû s'interrompre une nouvelle fois, le temps de sortir le joueur sur un brancard.

Une chose était claire : personne ne s'attaquerait plus jamais à A. William Wagner et ne s'en tirerait à bon compte si son meilleur ami Lance était dans les parages.

Quand Mr. Morton a annoncé le score, la foule était en délire : Avalon avait gagné par sept points.

On est parties, Stacy, Liz et moi.

Il était l'heure d'aller chez Will.

CHAPITRE 9

*Elle ne sait pas ce que peut être la malédiction
Aussi tisse-t-elle sans arrêt.
D'autre souci elle n'a guère
La Dame de Shallot.*

J'ai demandé à Stacy et à Liz de m'accompagner. Pas question que j'aille seule à une fête où je ne connaissais personne à part l'hôte, qui serait de toute façon trop occupé pour me parler.

Histoire de m'assurer que cela ne poserait pas de problème, j'avais toutefois envoyé un mail à Will pour savoir si je pouvais venir avec deux amies, et il m'avait assuré que oui.

Stacy s'était montrée hésitante mais Liz, elle, avait tout de suite accepté. Elle n'était jamais allée chez Will et mourait d'envie de voir où habitait quelqu'un qui jouissait d'une telle popularité au lycée.

Elle a été comblée : Will vivait dans l'une des

plus belles maisons de Severn Bridge – sur une colline au-dessus de la baie.

— Ouah ! s'est-elle exclamée quand, après avoir enfin réussi à se garer, on est entrées dans le hall des Wagner.

Tout n'était que marbre, miroirs géants, cadres dorés. Comment le père de Will pouvait-il se permettre un tel luxe avec un simple salaire de militaire ?

Liz s'était sans doute fait la même réflexion car elle s'est penchée vers Stacy et moi et a chuchoté :

— Argent de famille.

On a rencontré l'amiral Wagner quasiment au moment où on franchissait le seuil de sa maison. Il se tenait dans le hall et saluait les invités de son fils, un verre à la main, une blonde séduisante à ses côtés. J'en ai conclu qu'il devait s'agir de la veuve du meilleur ami défunt et de la mère du demi-frère de Will.

— Beau match, n'est-ce pas ? disait le père de Will à toutes les personnes à qui il serrait la main. Servez-vous à boire et à manger. Et amusez-vous bien !

Le père de Will n'avait rien du monstre qui avait délibérément envoyé son ami à la mort pour épouser ensuite sa veuve et qui voulait obliger son fils à faire carrière dans l'armée. Il était grand, comme Will, avec des cheveux poivre et sel. Il n'était pas en uniforme, bien que les plis de son pantalon soient un peu trop marqués pour un jean. Mais peut-être est-ce seulement parce que je n'ai pas l'habitude de voir un homme dont le pantalon est repassé. Mon père n'a jamais porté de vêtements repassés.

Je me suis avancée vers lui et je me suis présentée avant de me tourner vers Liz et Stacy et de les présenter à leur tour, puisqu'il me semblait que c'était comme ça qu'il fallait se comporter. Après tout ce que j'avais entendu sur l'amiral Wagner, je dois admettre que j'étais curieuse de voir à quoi il ressemblait.

Il était absolument charmant. Il m'a serré la main énergiquement, manifestement ravi de voir que son fils avait autant d'amis.

— Enchanté, jeunes filles ! a-t-il dit. Allez vous servir à boire et à manger. Il y a des sodas près de la piscine.

J'ai observé soigneusement la femme de l'amiral, dans l'espoir de déceler chez elle ce qui faisait dire à Will qu'il « s'était passé des choses bizarres ces derniers temps ».

Mais elle n'avait rien d'une marâtre. Petite, très belle et blonde, elle ressemblait à Jennifer Gold, en plus âgée, bien sûr.

Et elle avait l'air triste aussi, comme si... comme si son défunt mari lui manquait.

À moins qu'elle n'ait nulle envie d'assister à une fête de lycéens ? Difficile à dire.

Stacy, Liz et moi avons fait ce que l'amiral nous a conseillé : on s'est dirigées vers la piscine. Comme on s'était un peu perdues en chemin, Will, Lance et tout le reste de l'équipe de football – sans parler des pompom girls d'Avalon High – étaient déjà arrivés, se félicitant les uns les autres et plongeant dans la piscine chauffée que des centaines de lanternes de papier éclairaient.

Après s'être servi à boire, on s'est installées toutes les trois près du pot de guacamole et du saladier de chips – c'est-à-dire là où finissent toujours par s'installer les grandes perches dans les fêtes – et on a regardé autour de nous. Personne ne nous prêtait attention. Personne, sauf un colley qui s'est approché de moi et a fourré son museau dans ma main.

— Hé, doucement !

Il était magnifique, avec de longs poils blancs soyeux tachetés de noir ici et là. J'ai tout de suite deviné qu'il s'agissait de Cavalier, le chien de Will.

J'en ai eu la confirmation quelques minutes

plus tard quand celui-ci a réussi à s'extraire de la foule de ses adorateurs pour nous rejoindre.

— Tu es venue ! s'est-il exclamé.

Alors que Stacy et Liz tournaient la tête dans tous les sens pour voir à qui Will Wagner pouvait bien s'adresser, j'ai senti que je rougissais.

Parce que moi je savais à qui il s'adressait : à moi.

— Eh oui, ai-je répondu.

Il s'était changé pour un bermuda de bain baggy et une chemise hawaïenne qu'il avait laissée ouverte jusqu'à la taille. Difficile de ne pas voir ses abdos, parfaitement lisses et fermes.

— Je voulais te présenter mes amies, Stacy et Liz, ai-je continué tout en m'efforçant de regarder ailleurs.

Liz et Stacy se sont approchées, encore sous le choc d'avoir été invitées à la fête du garçon le plus populaire du lycée, et Will les a saluées avant de se tourner de nouveau vers moi.

— Je vois que Cavalier a déjà fait ta connaissance. C'est qu'il doit t'apprécier.

Ce qui était vrai. Cavalier s'était plus ou moins appuyé contre moi tandis que je lui caressais les oreilles. C'est-à-dire jusqu'à l'arrivée de Will : une fois son maître là, il lui a accordé toute son attention.

— Il est très bien élevé, ai-je déclaré, légèrement empruntée, car c'était la seule chose que j'avais trouvé à dire. À part évidemment, *Je t'aime, je t'aime, je t'aime.*

Ce qui, bien sûr, n'aurait pas été socialement acceptable.

Will s'est contenté de sourire puis il nous a demandé si on s'était baignées.

— On n'a pas apporté nos maillots de bain, a menti Liz en jetant un rapide coup d'œil à Jennifer Gold qui déambulait en top de tankini blanc.

— Oh, on en a plein dans la cabine, près de la piscine, a lancé Will. Je suis sûr qu'il y en aura bien un qui vous ira.

Stacy et Liz l'ont dévisagé, une chips dégoulinante de guacamole dans les mains. Il y avait autant de chance qu'on se pavane en maillot de bain toutes les trois devant l'équipe entière des pompom girls qu'il y en avait qu'une météorite géante tombe du ciel et ne nous anéantisse tous.

Attention, je ne souhaitais pas que cela arrive. Mais bon.

— Amusez-vous bien, a continué Will en souriant, totalement inconscient de notre malaise, comme n'importe quel garçon l'aurait été, d'ailleurs. Il faut que je vous laisse. Je dois m'occuper de mes invités.

— Bien sûr, ai-je répondu.

Je l'ai suivi du regard tandis que, Cavalier marchant à ses côtés, il s'est dirigé vers un garçon brun que je ne connaissais pas. Pourtant, son visage m'était familier.

Liz n'a pas tardé à éclaircir le mystère pour moi.

— C'est Marco, a-t-elle dit, la bouche pleine. Le demi-frère de Will.

Marco bavardait aimablement avec Will et deux ou trois joueurs de l'équipe de football. Il ne semblait pas particulièrement bouleversé par la tournure qu'avaient récemment prise les événements – vivre dans la maison de l'homme qui avait envoyé son père à la mort puis épousé sa mère. Et pourtant, une telle situation aurait pu détruire n'importe qui.

Il n'avait rien non plus du monstre qu'on m'avait décrit. En tout cas, rien dans son apparence ne laissait penser qu'il était capable d'attenter à la vie d'un prof. Bon d'accord, il avait les deux oreilles percées et un tatouage sur l'un de ses bras.

Mais c'est plutôt commun de nos jours, non ?

Je l'ai observé tandis qu'il faisait le tour de la piscine et accueillait les invités à la manière d'un homme politique, serrant les mains tout en donnant l'accolade s'il s'agissait d'un garçon, et déposant un baiser sur la joue des filles. Comment me sentirais-je, moi, si je vivais sous le même toit que l'homme responsable – même indirectement – de la mort de mon père ?

Liz a vite compris qu'elle n'avait pas raté grand-chose en n'étant pas invitée à ce genre de fêtes. Au bout d'une heure, elle en avait assez. Stacy aussi, qui s'ennuyait à mourir. Aussi, lorsqu'elles m'ont annoncé qu'elles n'allaient pas tarder à partir – on avait fini le guacamole et, apparemment, il n'y en avait pas d'autre –, j'ai acquiescé, désireuse moi aussi de rentrer. À ce moment-là, en tout cas. J'avais vu ce que j'avais envie de voir – le père de Will qui, malgré ce qu'on m'en avait dit, était charmant ; sa belle-mère qui semblait adorable ; et surtout la façon dont Will se comportait avec Jennifer, qui était exactement le comportement auquel on peut s'attendre d'un garçon avec sa petite amie... pas trop amoureux mais la prenant par la main souvent et l'embrassant de temps en temps dans le cou.

Est-ce que j'avais senti une pointe de jalousie ? Oui. Est-ce que j'avais pensé que Will ferait mieux de sortir avec moi ? Oui.

Sauf que mon seul et unique désir était qu'il soit heureux. Ça paraît étrange, pourtant c'est la vérité. Et si Jennifer le rendait heureux, qu'il en soit donc ainsi.

Mais alors...

Pourquoi m'avait-il offert cette rose ? Elle était complètement ouverte à présent, et quand je me réveillais le matin, c'était la première chose que je voyais, et la dernière quand j'éteignais ma lumière, le soir.

Ce n'est que sur le chemin vers la voiture de Stacy que je me suis rappelé que j'avais oublié de prévenir Lance au sujet de notre rendez-vous avec Mr. Morton, lundi matin.

— Je vous retrouve à la voiture ! ai-je lancé à Liz et à Stacy. Il faut que je voie Lance.

Mais Lance n'était pas au bord de la piscine, là où je l'avais vu pour la dernière fois. Et il n'était pas non plus dans le salon. Finalement, un garçon qui attendait devant la porte des toilettes, au premier étage, m'a dit qu'il l'avait vu entrer dans la chambre d'amis. Je l'ai remercié, puis je suis allée frapper à la porte de la fameuse chambre.

La musique qui montait du rez-de-chaussée était si forte que j'étais incapable de savoir si Lance m'avait dit d'entrer ou pas.

Persuadée qu'il ne m'avait pas entendue, vu que je ne l'avais pas entendu moi-même, j'ai entrouvert la porte pour voir s'il était là.

Il était bel et bien là.

Allongé sur le lit...

Avec Jennifer.

Jennifer, la petite amie de son meilleur copain.

Tendrement enlacés, ils étaient si attentifs l'un à l'autre qu'ils n'ont pas remarqué la porte qui s'ouvrait. Je l'ai rapidement refermée et je me suis adossée au mur. J'avais l'impression que mon cœur allait exploser.

Mais avant que j'aie le temps de mesurer la portée de la scène dont j'avais été témoin – sans parler d'en comprendre la signification –, j'ai vu quelque chose d'encore plus terrible : Will montant l'escalier et se dirigeant droit vers la porte que je venais de fermer.

ᐱ CHAPITRE 10 ᐃ

Comme souvent dans la nuit pourpre
Sous le ciel étoilé
Quelque météore à la longue traînée dorée
File au-dessus de l'île de Shallot endormie.

— Oh, salut, Elle ! a lancé Will en me voyant.

J'ai su que j'étais vraiment bouleversée par ce à quoi je venais d'assister quand j'ai remarqué que mon cœur ne faisait pas de bond au nom de Elle.

— Salut, ai-je répondu faiblement.

— Tu as vu Jen ? On m'a dit qu'elle était montée.

— Jen ? ai-je répété. Euh...

Même si j'essayais de l'en empêcher, mon regard s'est automatiquement tourné vers la porte de la chambre d'amis.

Qu'étais-je censée dire ? « Oui, bien sûr, elle est là, dans la chambre » et laisser Will entrer et découvrir Jennifer et Lance ?

Ou devais-je au contraire feindre l'ignorance et répondre : « Jen ? Non. Je ne l'ai pas vue », et le laisser continuer de vivre sans se douter que sa petite amie le trompait avec son meilleur copain ?

Qui pouvait prendre ce genre de décision ? Et pourquoi avait-il fallu que j'entre dans cette chambre ? D'accord, je rêvais secrètement que Will rompe avec Jennifer et qu'il... eh bien... oui, qu'il me demande si je voulais sortir avec lui.

Mais je ne voulais pas être celle qui soit, même indirectement, responsable de leur rupture en lui révélant la véritable nature de sa petite amie ! Quand ça arrive dans les séries télé, jamais les filles ne se retrouvent avec le garçon après.

Mais avant que j'aie eu le temps de décider quoi faire, Will m'a observée plus soigneusement et a dit, inquiet :

— Ça va, Elle ? Tu es toute pâle.

Sa sollicitude ne m'a pas étonnée. Je ne me sentais effectivement pas bien, et le guacamole me pesait de plus en plus sur l'estomac.

— Non, ça va, ai-je murmuré.

Même à mes oreilles, mon mensonge était flagrant !

— Oh, non, ça ne va pas, a déclaré fermement Will. Viens, sortons. Un peu d'air te fera du bien.

Il s'est alors passé quelque chose d'extraordinaire : Will m'a pris la main, comme si c'était la chose la plus naturelle qui soit, et m'a entraînée vers une porte que je n'avais pas remarquée. Elle ouvrait sur un petit escalier menant à une sorte de terrasse sur le toit, qui faisait le tour de la maison.

Là, pas un bruit ne régnait, malgré la fête qui battait son plein en bas. Le ciel brillait de mille étoiles, et la lune, tel un ruban de lumière, éclairait la baie qui s'étendait à perte de vue devant nous.

À peine la brise fraîche qui soufflait écarta-t-elle mes cheveux que je me sentis mieux.

Je me suis appuyée à la balustrade qui courait tout autour de la terrasse et j'ai regardé la baie, le pont qui l'enjambait et les lueurs occasionnelles des phares d'une voiture.

— Ça va mieux ? a demandé Will.

J'ai hoché la tête puis, gênée et encore sous le choc, j'ai cherché un sujet qui pourrait distraire Will et l'empêcher de trop me sonder.

— C'est curieux, cette terrasse, ai-je dit.

— Ça se voit que tu n'es pas d'ici, a répondu Will en souriant. Toutes les vieilles maisons en ont une. On les appelle « la promenade des veuves ». Elles ont été construites, paraît-il, pour les femmes des marins afin qu'elles puissent sur-

155

veiller la mer et apercevoir le bateau de leur mari rentrant au port.

— Sympa, ai-je fait d'un ton sarcastique.

Car, bien sûr, si le mari ne rentrait pas, cela signifiait que son bateau avait coulé et que la femme était veuve.

— Oui, a dit Will en riant, cette fois. En réalité, ce n'est pas à ça qu'elles servaient. Elles ont été construites pour que les gens puissent grimper et éteindre les flammes en cas d'incendie, à l'époque où on se chauffait et où on cuisinait au bois.

— De mieux en mieux !

— Oui. On devrait sans doute les appeler autrement. Mais quel que soit leur nom, la vue est la même.

J'ai acquiescé tout en admirant le miroitement de la lune sur l'eau.

— C'est beau, ai-je murmuré. Et si apaisant.

Suffisamment apaisant pour qu'une fille oublie pourquoi elle était montée là au départ. Qu'allais-je faire au sujet de Lance et de Jennifer ?

— Oui, a dit Will, totalement inconscient de l'agitation dont j'étais la proie. Je ne m'en lasse jamais. C'est la seule chose qui ne bouge pas. La mer, je veux dire. La couleur change, le mouvement de l'eau, aussi. Parfois, elle est plate, parfois elle est secouée de clapotis, mais la mer, elle, est toujours là. Tu peux te fier à elle.

Pas comme avec ta petite amie et ton meilleur copain.

Mais bien sûr, j'ai gardé cette réflexion pour moi.

Est-ce que la nouvelle Mrs. Wagner venait là souvent, le matin, en buvant sa tasse de café ? Will avait-il saisi l'ironie de la situation ? Sa belle-mère étant veuve, elle aussi.

— Elle te manque ? ai-je brusquement demandé.

Trop brusquement, me suis-je rendu compte quand je l'ai vu froncer les sourcils d'un air interrogateur.

— Qui ?

— Ta mère. Ta vraie mère, je veux dire.

À quoi bon faire comme si je ne connaissais pas la vérité ?

— Ma mère ? a répété Will. Non. Je ne l'ai pas connue. Elle est morte à ma naissance.

— Oh, ai-je fait, parce que je ne savais pas quoi dire d'autre.

— Ne te bile pas, a répondu Will en souriant. Ce que tu n'as jamais eu ne peut pas te manquer.

— Oui, sans doute. Et est-ce que tu aimes...

(j'ai marqué une pause. Comment devais-je appeler sa belle-mère ?) ... la mère de Marco ?

— Jane ? a dit Will. Oui, beaucoup.

— Et Marco ?

— Bien sûr ! Mais comment sais-tu tout ça ? Aurais-tu mené ta petite enquête ?

— Peut-être, ai-je fait en priant pour qu'il ne s'aperçoive pas que je rougissais à vue d'œil.

En tout cas, s'il l'a vu malgré l'obscurité qui nous entourait, il n'en a pas soufflé mot.

— Marco est cool, a-t-il déclaré avec un haussement d'épaules. Il...

Will a hésité, cherchant comment il allait poursuivre, puis il a fini par dire :

— Il n'a pas eu une vie facile. Il a eu des petits ennuis, mais j'ai l'impression que ça va beaucoup mieux.

— Il s'entend bien avec ton père ? ai-je alors demandé, faussement dégagée.

En vérité, j'étais curieuse de savoir. Est-ce que je m'entendrais bien avec l'homme qui a prémédité la mort de mon père et épousé ma mère ? Probablement pas.

Will a paru songeur. Pas triste, non. Mais songeur, comme s'il avait besoin de réfléchir avant de me répondre.

— Je crois, oui. C'est difficile pour Marco. Il

n'a aucun lien de sang avec mon père. En même temps, il ne subit pas la même pression que moi...

— C'est de ça dont tu parlais l'autre jour quand tu disais qu'il s'était passé des choses bizarres ? Tu faisais allusion à Marco, à ton père et à ta belle-mère et... à ce qui leur était arrivé ?

J'aurais tellement voulu que ce soit la vérité. Que ce qui soucie Will autant soit sa situation familiale et non l'histoire avec Jennifer et Lance. Se doutait-il de quelque chose ? Il pouvait, cela dit. Entre ce qui s'était passé pendant le match, quand Lance s'était absenté du terrain pour parler avec Jennifer, et le fait que maintenant ils aient tous deux disparu de la fête...

Mais non. C'est à cause des liens compliqués entre ses parents et son demi-frère que Will se rembrunissait parfois. C'est à cause de ça que j'avais vu à plusieurs reprises une ombre traverser son visage. N'est-ce pas ? N'est-ce... pas ?

— Oui, j'imagine que cela en fait partie, a-t-il répondu en contemplant la mer. Mais ça n'explique pas tout. Ça n'explique pas...

Il a alors détaché son regard des flots bleus et s'est tourné vers moi.

J'ai su à cet instant précis ce qu'il allait dire. J'ai même fermé les yeux, anticipant le coup qui allait venir.

Il va m'interroger sur Lance et Jennifer, ai-je pensé. *Que dois-je lui répondre ? Je ne peux pas être celle qui va lui révéler la vérité. Non, je ne peux pas. C'est à eux de le lui dire. C'est à Lance et à Jennifer ! C'est leur faute, pas la mienne. Oui, c'est à eux de dire la vérité. Ce n'est pas juste que je me retrouve à le faire !*

Mais, à mon grand étonnement, ce n'est pas du tout ce qu'a dit Will quand il a fini sa phrase.

— Ça n'explique pas ce qu'il y a entre toi et moi.

Si cette météorite sur laquelle j'avais fantasmé un peu plus tôt était brusquement tombée du ciel et avait décimé toute l'équipe des pompom girls d'Avalon High, je pense que j'aurais été moins étonnée que par ce que je venais d'entendre. J'étais en fait si abasourdie que j'ai rouvert les yeux et l'ai dévisagé, tout en répétant intérieurement les trois derniers mots qu'il avait prononcés : *toi et moi. Toi et moi. Toi et moi.*

Sauf que *Toi et moi* n'existait pas. Dans mon esprit, peut-être. Mais pas dans celui de Will.

Si ?

Mais avant même que j'aie le temps de formuler le début d'une réplique à son extraordinaire révélation, Will a détourné la tête et a contemplé à nouveau la mer tout en disant :

— Ça ne t'est jamais arrivé de ressentir ça ?

J'ai sursauté. De quoi parlait-il, maintenant ? C'était trop pour moi, beaucoup trop.

— Euh... quoi ? ai-je fait.

Pour la troisième fois, Will a détaché son regard de la mer pour le poser sur moi.

— Tu ne t'es jamais demandé s'il n'y avait pas quelque chose de... de plus, a-t-il commencé, d'une voix profonde. Quelque chose qu'on est censé faire ?

OK. Apparemment, il a une idée derrière la tête. Pourvu qu'elle le ramène à ce qu'il a dit précédemment, sur lui et moi. En attendant, je peux toujours plaisanter.

— Si, bien sûr. N'est-ce pas d'ailleurs comme ça que ça doit être ? Si on n'avait pas l'impression d'avoir quelque chose à faire, on passerait notre vie avec nos parents jusqu'à notre mort.

Will a éclaté de rire. J'adorais son rire. Il me faisait presque oublier... la scène que j'avais vue.

— Je ne parlais pas de ça, a corrigé Will. Tu... tu ne t'es jamais dit que... (ses yeux bleus brillaient au clair de lune) ce n'était pas la première fois que tu vivais ? Que tu avais déjà vécu une première vie en étant... quelqu'un d'autre ?

— Euh...

J'ai relevé la tête et je l'ai regardé en me demandant quelle serait sa réaction si brusquement je m'approchais de lui et je l'embrassais.

— Pas vraiment, non.

— Jamais ?

Il s'est passé la main dans les cheveux, un geste qui – je commençais à m'en rendre compte – lui était familier lorsqu'il avait du mal à se faire comprendre.

— Tu n'as jamais eu l'impression par exemple d'être déjà venue dans un endroit où tu n'es jamais allée auparavant ? Ou de lire quelque chose que tu sais que tu n'as jamais lu mais qui te paraît familier ? D'entendre un morceau de musique que tu jurerais avoir entendu dans le passé alors que tu ne connais même pas l'artiste ?

— Eh bien...

Non, il ne fallait pas que je l'embrasse. Je risquais de lui faire peur. Les garçons n'aiment pas quand les filles font les premiers pas. Du moins, d'après Nancy. Mais qu'est-ce qu'elle en sait, d'abord ? Elle n'a jamais eu de petit copain.

— Si, si. Il y a même un nom pour ça. C'est ce qu'on appelle une impression de *déjà-vu*. C'est assez commun et...

— Non, je ne parle pas de déjà-vu, m'a-t-il coupée. Je parle d'être sûr d'avoir déjà rencontré quelqu'un, comme j'ai l'impression de t'avoir déjà rencontrée, même si c'est impossible qu'on se soit rencontrés avant ton arrivée à Annapolis. Ce genre de choses, quoi. Tu ne sens pas que... qu'il y a quelque chose entre nous ?

Oh si, je le sentais, et même très bien. Sauf que ce n'était pas du tout ce à quoi Will faisait allusion. Moi, je n'avais pas l'impression de l'avoir déjà rencontré – parce que si cela avait été le cas, je m'en serais souvenue !

Mais ce qui me troublait le plus, en fait, c'étaient mes sentiments à son égard, et leur force. Je voulais qu'il soit à moi et en même temps, je voulais le protéger, lui éviter de souffrir quand il découvrirait – car il le découvrirait bien un jour ou l'autre – la trahison de Jennifer et de Lance. On n'a pas ce genre de sentiments pour un garçon qui est seulement gentil avec soi, qui vous paie une limonade et vous offre une rose.

Ça ne pouvait être que plus, bien plus que ça.

Dans ce cas, devais-je accorder du crédit à ses paroles ? S'était-on déjà rencontrés ? Pas dans cette vie, mais... dans une autre ?

Will ne m'a pas laissé le temps de lui faire part de toutes mes pensées. Il s'est légèrement affaissé contre la rambarde de la promenade des veuves et a secoué la tête tout en déclarant, d'un ton empreint d'autodérision :

— Après tout, Lance et Jen ont peut-être raison. Je suis vraiment en train de perdre la boule.

Rien que d'entendre que Lance et Jennifer lui avaient dit ça m'a fait comprendre que Lance se souciait finalement de Will – même s'il sortait en cachette avec sa petite amie. La preuve, la façon dont il avait plaqué ce type pendant le match. Pour réagir ainsi, c'est qu'il devait être gêné de le tromper, non ?

En revanche, je n'avais observé aucun signe de remords chez Jennifer. À la limite, c'était peut-être même le contraire, vu l'interrogatoire qu'elle m'avait fait subir devant les casiers à propos du dîner avec Will. C'est clair qu'elle ne tenait à savoir qu'une chose lorsqu'elle m'avait harcelée de questions : est-ce que Will se doutait pour Lance et elle.

— Tu ne dérailles pas du tout, ai-je déclaré avec emphase. Pour moi aussi, certaines choses me paraissent bizarres depuis quelque temps. Mais à mon avis, c'est normal, ça fait partie des expériences de l'adolescence. Tu ne crois pas ?

— Peut-être, a répondu Will, incertain. Je pensais que les adolescents étaient persuadés de tout savoir et je n'ai jamais été aussi sûr de ma vie... de ne rien savoir du tout.

— C'est sans doute à cause de la tumeur

maligne qui est en train de se développer dans ton cerveau, celle dont personne ne t'a parlé, ai-je dit.

J'ai failli me donner un coup sur la tête. Qu'est-ce qui m'avait pris ? Pourquoi fallait-il que je me mette à plaisanter chaque fois que les choses commençaient à devenir sérieuses ? Nancy avait raison. À ce train-là, jamais je ne me trouverais de petit ami.

Mais au lieu de rétorquer – ce qu'il aurait probablement dû faire – « Qu'est-ce que tu racontes ? », Will m'a scrutée du regard pendant une minute puis il a jeté la tête en arrière et a éclaté de rire. De son rire sonore.

Que pouvais-je faire d'autre que rire avec lui ? Et c'est ce que j'ai fait, jusqu'à ce qu'une brise soudaine ne fasse retomber une mèche de mes cheveux sur mes yeux. Alors, à ma grande surprise, et avant même que je ne lève la main pour l'écarter, Will l'a délicatement repoussée.

Je suis restée figée sur place. Il m'avait touchée. Il m'avait touchée. *Il m'avait touchée.*

— Tu as raison, Elle Harrison, a-t-il dit doucement d'une voix mal assurée avant de plonger son regard dans le mien. Tu sais quoi ? Je crois que je t'apprécierais même si j'étais sûr de ne pas t'avoir déjà connue et... appréciée dans une autre vie.

Rien ne laissait deviner ce qui allait se passer après. Évidemment, j'ai pensé qu'il allait me prendre dans ses bras et m'embrasser, comme j'avais vu Lance embrasser Jennifer dans la chambre d'amis.

Et alors ? C'est possible. Will aurait très bien pu faire ça.

Sauf que deux choses l'en ont empêché...

❧ CHAPITRE 11 ❧

Mais devant sa toile elle se réjouissait quand même
De tisser les spectacles magiques de son miroir
Car souvent durant les nuits silencieuses
Des funérailles avec panaches, lumières,
Et musique allaient à Camelot.

La première, c'est un nuage qui est venu se mettre devant la lune, masquant la seule lumière autour de nous.

La seconde, c'est la porte de la terrasse qui s'est brusquement ouverte sur Cavalier, suivi de... Marco.

— Enfin, te voilà ! s'est exclamé ce dernier.

Je suis sûre qu'il a vu Will retirer vivement sa main pour se pencher vers Cavalier et lui tapoter la tête à la place.

— Je te cherchais partout, a continué Marco. Jamais je ne t'aurais retrouvé sans ce fichu chien. Tu ne l'as pas entendu aboyer ?

Will a caressé une dernière fois Cavalier, puis s'est redressé.

— Non, a-t-il dit.

Si un instant plus tôt sa voix m'était apparue mal assurée, elle sonnait à présent normalement. Impossible de dire si, comme moi, il pestait intérieurement contre l'arrivée de son demi-frère.

— J'ai besoin de trouver Jen, a poursuivi Marco. Sa voiture bloque l'entrée des voisins.

Will a secoué la tête comme quelqu'un ressortant soudainement de l'eau après avoir plongé très profondément. J'ai essayé de ne pas penser à ce que cela pouvait signifier par rapport à ... eh bien, moi.

— Quoi ? a fait Will en clignant des yeux plusieurs fois. Jen ?

— Oui.

Marco m'a observée. Non pas d'un air accusateur, mais songeur, comme s'il se demandait qui j'étais et ce que j'avais bien pu faire à son demi-frère pour qu'il donne brusquement l'impression d'avoir perdu tous ses moyens.

J'aurais pu lui répondre en deux mots : « personne » à qui j'étais, et « rien » à ce que j'avais bien pu faire à Will.

— Je pensais qu'elle était avec toi.

Maintenant, il me regardait d'un air accusateur.

— Je ne l'ai pas vue depuis qu'elle est montée se remaquiller il y a une demi-heure, a déclaré Will.

Curieusement, cela n'avait pas l'air de l'embêter.

— Eh bien, il faut qu'elle déplace sa voiture, a insisté Marco. Mrs. Hewlitt ne peut pas rentrer chez elle et elle menace d'appeler la police.

Will a marmonné quelque chose. Une injure, à tous les coups. Puis il s'est tourné vers moi et a dit :

— Désolé, Elle. Je dois te laisser.

— Ne t'excuse pas, me suis-je empressée de répondre en croisant les doigts pour que ma déception passe inaperçue.

Il m'avait de nouveau appelée Elle.

— De toute façon, il faut que j'y aille. Liz et Stacy doivent probablement se demander où je suis.

Will a froncé les sourcils avec l'air de ne pas comprendre de qui je parlais. Puis il a hoché la tête.

— Oh, oui, je me souviens. Je te raccompagne, a-t-il déclaré en se dirigeant vers la porte, Cavalier sur ses talons.

Je l'ai suivi et Marco a fermé la marche derrière moi. Alors qu'on atteignait le premier étage,

Marco a demandé, d'une voix qui ne me plaisait pas trop, même si j'étais incapable d'expliquer pourquoi :

— Dis donc, Will, est-ce que tu as l'intention de me présenter à ton amie ?

— Excuse-moi, Marco. Elaine Harrison, mon demi-frère, Marco Campbell. Marco, voilà Ellie.

— Salut ! ai-je lancé à Marco par-dessus mon épaule tandis qu'on pénétrait dans le couloir.

Marco a souri – de ce sourire souvent décrit comme sournois dans les livres.

— Enchanté de faire ta connaissance, Elaine, a-t-il répondu avant d'ajouter, à l'adresse de Will : je crois que quelqu'un a vu Jen entrer là.

Et il a indiqué de la main la porte de la chambre derrière laquelle se trouvaient Lance et Jennifer.

— Super ! Merci.

Au moment où Will tendait la main pour atteindre la poignée, j'ai crié :

— Non ! Attends !

Will m'a regardée d'un air interrogateur. Cavalier aussi. Marco, lui, semblait surpris par ma réaction.

J'ai alors eu un haut-le-cœur.

— Ce... ce n'était pas... pas elle, là ? ai-je bégayé.

170

La main toujours tendue vers la poignée de la porte, Will a demandé :

— Où ça ?

— En bas. Je crois même qu'elle te cherchait.

Sur ces paroles, j'ai couru vers l'escalier et j'ai lancé, bien fort, en direction du rez-de-chaussée :

— Il arrive !

Les invités qui se tenaient en bas des marches ont levé la tête et m'ont regardée comme si je venais de dire la pire incongruité qui soit. Mais je m'en fichais, parce que Will ne pouvait pas les voir.

— Elle est dans le salon, ai-je ajouté.

À mon grand soulagement, Will a abaissé la main et s'est avancé vers l'escalier.

— Merci ! À tout à l'heure !

Et il a commencé à descendre.

C'est à ce moment-là que ça s'est produit. Ce que, plus tard, j'aurais du mal à décrire, même à moi-même.

Tout ce que je sais, c'est qu'une fois Will dans l'escalier, j'ai jeté un coup d'œil à Marco, pensant qu'il allait le suivre... et je me suis aperçue qu'il m'observait, un sourire amusé aux lèvres, comme si j'étais un chat qui s'était brusquement mis à lire les petites annonces. À voix haute.

— Will ! a appelé Marco sans me quitter des

yeux – des yeux aussi sombres que ceux de son frère étaient clairs. Pourquoi n'invites-tu pas Elaine à venir faire du bateau avec nous demain ?

— Mais oui ! a répondu Will en s'arrêtant avant de se tourner vers moi. C'est une excellente idée ! Tu aimes faire de la voile, Elle ?

Elle. Chaque fois, mon cœur faisait un bond.

— Euh...

Que se passait-il ? J'aurais dû sauter de joie à l'idée de voir Will demain. En même temps, je ne pouvais pas m'empêcher de me demander pourquoi Marco tenait autant à ma présence. Il ne me connaissait *même pas*.

Et d'après le regard qu'il m'adressait, je doutais qu'il m'apprécie. Surtout après ce que lui et moi savions que j'avais fait.

— Je ne sais pas, ai-je répondu. Je n'ai jamais fait de voile. Le bateau, ce n'est pas vraiment notre truc dans le Minnesota.

— Je suis persuadé que tu adoreras, a déclaré Marco. Tu ne crois pas, Will ?

— Oui, sûr ! a dit Will avec enthousiasme. On a rendez-vous devant la statue d'Alex Haley, sur le port, demain à midi. Tu sais où elle est ?

Voyant que je hochais la tête, il a ajouté :

— Génial ! À demain, alors !

Et il a fini de dévaler les marches, me laissant seule avec Marco...

... avec qui je n'avais nullement l'intention de traîner ni de bavarder.

— Eh bien, à demain, ai-je dit tout en me dirigeant à mon tour vers l'escalier.

Sauve-toi, semblait dire mon cœur à chacun de ses battements.

Mais je ne suis pas allée assez vite car la voix de Marco a fendu l'air et m'a tirée, presque physiquement, vers lui. Et cette voix qui disait, sur un ton lourd de sous-entendus :

— Tu n'as pas vraiment entendu Jen en bas, n'est-ce pas, Elaine du Minnesota ?

Je suis restée paralysée sur place, un pied sur une marche, l'autre sur le palier. Pour une raison inconnue, mon sang s'est figé.

— Excuse-moi, ai-je répondu, mais je ne vois pas du tout de quoi tu parles.

— Je pense que si, a déclaré Marco.

Puis, après m'avoir adressé un clin d'œil, il s'est dirigé vers la porte de la chambre d'amis, celle que Will avait failli ouvrir, et a frappé, juste une fois.

— Jen ! Tu es là ? a-t-il appelé.

Une petite voix a répondu à travers la porte au bout de quelques secondes de silence :

— Euh... Oui ! Une minute ! J'arrive !

Marco s'est retourné et a secoué la tête.

— C'était bien vu, a-t-il dit, mais il finira par les démasquer un jour ou l'autre.

Bref, je ne m'étais pas trompée. Il savait. Il le savait depuis le début. Et il avait voulu que Will ouvre la porte et les découvre.

Quel genre de malade mental fait ça ?

Le demi-frère de Will, de toute évidence.

— Eh bien..., ai-je commencé en feignant de ne pas comprendre.

Il le savait. Mais ce n'était pas ça le plus étrange. Le plus étrange c'est que *je savais* qu'il savait.

— Il faut que je parte, ai-je fini par dire.

Mais Marco n'a pas été dupe. Non seulement il a continué de parler mais il m'a rejointe en deux longues enjambées et m'a attrapée par le bras. Ses doigts étaient glacés. Il me tenait si fort qu'il m'était impossible de m'échapper.

— Qu'essaies-tu de faire ? m'a-t-il demandé avec un sourire de mépris. Le protéger ?

— Lâche-moi, ai-je murmuré d'une voix légèrement tremblante.

Le contact de sa main sur mon bras me donnait la chair de poule.

Apparemment, je n'étais pas la seule à ne pas

supporter sa présence. Un bruit sourd, venant du sol, m'a fait baisser les yeux et j'ai vu Cavalier – qui n'avait pas suivi son maître comme je le pensais –, couché sur le tapis blanc, qui grognait en fixant Marco.

Oui. *Qui grognait en fixant Marco.*

Le remarquant à son tour, il a marmonné sur un ton de dégoût :

— La ferme, le clebs.

Puis il m'a poussée si brusquement que j'ai dû me retenir à la balustrade pour ne pas tomber dans l'escalier.

Cavalier a aussitôt cessé de gronder pour se précipiter vers moi et me lécher le bras là où Marco m'avait serrée.

— Voyez-vous ça, a lâché Marco, sarcastique.

Il a secoué une nouvelle fois la tête en me scrutant du regard – je tremblais, je haletais et la jointure de mes doigts sur la balustrade était toute blanche.

— Tu n'es même pas censée prendre son parti, a-t-il déclaré. Tu es censée prendre le parti de l'autre. Quelle sorte de Dame au Lys es-tu ?

J'ai cligné des yeux plusieurs fois. Dame au Lys ? Oh, oui, bien sûr ! La Dame au Lys est l'un des surnoms d'Elaine d'Astolat, la Dame de Shallot, celle dont je porte le nom.

Très drôle.

Si on veut...

En tout cas, l'expression était plutôt curieuse dans la bouche d'un garçon tatoué.

— Je ne vois pas à quoi tu fais allusion, ai-je déclaré d'une voix apeurée, même si la présence de Cavalier à mes côtés me rassurait. Mais... je crois que tu devrais laisser Will tranquille.

Apparemment, Marco a trouvé ma réflexion hilarante.

— Laisser Will tranquille ? a-t-il répété en éclatant de rire. C'est comme *ça* alors que ça doit se passer ? Mon Dieu, Morton a tout faux !

Morton ? *Mr.* Morton ? Mais de quoi parlait-il ?

— Tu penses que ce que vit Will en ce moment est terrible ? a continué Marco, son sourire sournois de nouveau aux lèvres. Attends de voir la suite.

À ce moment-là, la porte de la chambre d'amis s'est ouverte et Jennifer est sortie en remettant dans son élastique une mèche de cheveux qui s'en était échappée.

— Salut, les amis ! a-t-elle lancé gaiement. Un peu trop gaiement. Désolée, j'étais au téléphone avec ma mère. On a besoin de moi ?

Je l'ai dévisagée. Je n'en revenais pas qu'elle puisse être si superbe et si....

Eh bien, placide.

Voyant que Marco restait silencieux, elle s'est tournée vers moi d'un air interrogateur.

— Il... il faut que... que tu bouges ta voiture, ai-je bafouillé. Elle bloque l'entrée des voisins.

Jennifer a froncé les sourcils.

— Je ne comprends pas. Je suis garée dans l'allée des Wagner.

J'ai regardé Marco. Il m'a fait un clin d'œil.

— Je crois qu'on va bien s'amuser, a-t-il dit. Tu ne penses pas, Elaine ?

CHAPITRE 12

Et parfois à travers le miroir bleu
Les chevaliers allaient deux par deux.
Elle n'a pas de loyal et fidèle chevalier,
La Dame de Shallot.

Stacy et Liz faisaient un peu la tête quand je les ai rejointes.

— Qu'est-ce que tu as fabriqué ? Tu en as mis du temps ! s'est exclamée Stacy en me voyant descendre la colline.

— Je suis désolée.

Je l'étais *vraiment*.

Mais pas pour la raison qu'elles pensaient.

Le trajet en voiture a été silencieux, peut-être trop silencieux car Liz a fini par dire :

— Tu vas bien, Ellie ?

J'ai répondu oui, sauf que c'était faux. Comment aurais-je pu aller bien après ce qui s'était passé ?

Et c'était là, en partie, le problème. Que s'était-il *exactement* passé ? Je ne le savais même pas, en vérité.

J'avais découvert que Jennifer trompait Will. Avec son meilleur ami. Et alors ? Cela n'avait rien à voir avec moi, non ?

Ensuite, j'avais rencontré le demi-frère de Will et eu une étrange conversation avec lui. La belle affaire ! Les garçons sont des êtres étranges, en général. Et les garçons dont les pères ont été tués par les nouveaux maris de leurs mères sont probablement encore plus étranges que n'importe qui. À quoi je m'attendais ?

Mais ce qui s'était passé avec Marco me semblait... je ne sais pas, plus étrange que tout le reste. Le fait que Cavalier se soit mis à grogner quand il m'avait saisie par le bras. Et cette façon de me parler, comme si nous poursuivions une conversation qu'on aurait eue dans le passé, alors qu'on venait de se rencontrer ! Et c'était quoi ce qu'il avait raconté sur la Dame de Shallot ? Sans parler de son allusion à Mr. Morton. Qu'est-ce que Mr. Morton venait faire dans tout ça ?

À moins que...

Je me suis penchée vers l'avant de la voiture où Liz et Stacy étaient assises.

— Dites, les filles, qui était le prof que Marco

Campbell a soi-disant tenté de tuer ? ai-je demandé.

Tout en continuant de tourner les boutons de la radio, à la recherche d'une station qu'elle aimait, Liz a répondu :

— Mr. Morton.

— Hé ! Mais tu es une vraie pipelette ! s'est exclamée Stacy en riant.

— Et alors ? s'est braquée Liz. Ma mère l'a appris par la mère de Chloe Hartwell, qui l'a appris par sa cousine qui travaille au poste de police d'Annapolis.

— Oh, oh, a fait Stacy. Dans ce cas, c'est que ça doit être vrai.

— Pourquoi il a fait ça ? ai-je demandé. Pourquoi il a essayé de tuer Mr. Morton ?

Liz a haussé les épaules.

— Marco n'a pas toute sa tête, si tu vois ce que je veux dire.

Oh, oui, je voyais. Je voyais même très bien.

Stacy s'est garée devant chez moi. Je suis descendue de la voiture.

— N'oublie pas, Ellie. Tu dois nous dire quand on peut débarquer chez toi pour « l'initiation ».

— Promis. Merci, en tout cas, les filles. D'être venues ce soir avec moi.

— Ma première soirée parmi le gotha du lycée Avalon High ! a lâché Liz avec un soupir.

— Et ma dernière, a ajouté Stacy avant de me faire signe et de redémarrer.

Mes parents n'étaient pas couchés. Ils regardaient les informations.

— Bonsoir, chérie, a lancé ma mère. Tu as passé une bonne soirée ?

— Super ! Avalon a gagné et, demain, je vais faire du bateau avec Will.

— Formidable, a déclaré mon père. Mais est-ce que Will sait naviguer ?

— Oui, oui ! Ne vous inquiétez pas, ai-je répondu tout en montant à l'étage.

— Tu ne vas pas porter cette jupe pour faire de la voile, au moins ? a demandé ma mère.

— Mais non ! Allez, bonne nuit !

Après la soirée que je venais de vivre, m'asseoir avec mes parents et bavarder avec eux était la dernière chose dont j'avais envie. Je voulais... je voulais...

Je ne savais pas ce que je voulais.

Du coup, j'ai pris une douche, je me suis mise en pyjama et je me suis allongée sur mon lit. La rose que Will m'avait offerte trônait toujours sur ma table de nuit. Elle était complètement ouverte à présent et ses pétales brillaient à la lueur de ma lampe de chevet.

Je sentais que mes paupières se fermaient et, pourtant, je savais que si j'éteignais la lumière, je ne m'endormirais pas. J'étais trop tendue. Et je n'arrêtais pas de penser à Marco. Comment savait-il que je m'appelais Elaine à cause de la Dame de Shallot ? Elle n'est pas un personnage de la littérature que les garçons de son âge connaissent bien, non ?

Et c'était quoi cette histoire de ne pas prendre le parti du bon garçon, laissant en fait entendre que c'est de Lance dont je devrais être amoureuse et non de Will. Parce qu'Elaine aimait Lancelot ?

Mon Dieu ! Tout ça était ridicule. Et même pas drôle. J'adorais mes parents mais pourquoi avaient-ils fallu qu'ils me donnent le nom d'une personne aussi pathétique ? La seule chose qu'Elaine d'Astolat et moi-même avions en commun, c'est notre penchant pour nous laisser porter sur les eaux... sauf que je préfère le faire sur mon matelas gonflable dans ma piscine, alors qu'elle, elle vogue vers sa mort.

Bref, d'après le raisonnement de Marco, si j'étais Elaine, et Lance Lancelot, ça signifiait que Jennifer était Guenièvre. Ce qui était assez drôle, en fait, vu que le prénom Jennifer vient de Guenièvre (c'est le genre de choses qu'on ne peut pas ne pas savoir quand on est la fille de deux médiévistes).

Si je continuais sur cette piste, à savoir que Lance était *Lancelot*, moi *Elaine* et Jennifer *Guenièvre*, alors Will était le roi *Arthur*, et Marco *Mordred*, le type qui tue Arthur et s'empare du trône de Camelot, après toute l'histoire avec Guenièvre.

Sauf que, dans tous les textes que j'avais lus sur le sujet, Mordred était le demi-frère d'Arthur et pas le fils de la nouvelle femme du père d'Arthur.

Cela dit, quand on ajoutait à tout ça le fait qu'on fréquentait tous un lycée du nom d'Avalon High, qui est le nom de l'île où, selon la légende, Arthur serait toujours en train de dormir, en attendant de se réveiller, il y avait de quoi avoir des frissons dans le dos.

Marco ne plaisantait peut-être pas ?

Oui, c'est ça, et demain, mon père me laisserait prendre la voiture seule, sans la présence de quelqu'un ayant son permis à mes côtés ?

Après tout, qu'est-ce que j'en avais à faire si le demi-frère de Will tenait à me comparer à une fille qui s'était tuée pour un chevalier mythique de Camelot ? J'avais connu pire, question railleries. Et il ne savait pas, bien sûr, à quel point je détestais tout ce qui se rapportait au Moyen Âge.

Ce qui rendait toute cette histoire d'autant plus ridicule.

Sauf que...

Sauf que rien de tout cela n'expliquait la froideur de ses doigts. Ou la façon dont Cavalier avait réagi quand Marco m'avait touchée. Ou ce qu'il avait voulu dire en évoquant Mr. Morton. Ou encore, pourquoi il avait cherché à faire en sorte que Will découvre la trahison de Lance et de Jennifer.

Mon sentiment de nausée continuant à me tenailler, je me suis tournée dans mon lit et j'ai éteint la lumière. Tandis que je reposais là, dans la pénombre de ma chambre, j'ai entendu brusquement un bruit sourd. Une seconde plus tard, Tig me rejoignait pour la nuit.

Curieusement, ce soir, pour une raison qui m'échappait, il ne tenait pas en place. Il n'arrêtait pas de renifler là où Cavalier m'avait léchée – même si je m'étais savonnée pendant ma douche. Au clair de lune qui éclairait ma chambre, j'ai remarqué qu'il faisait ce que Geoff, mon frère, appelait « sa moue de chat » : la bouche à moitié ouverte, comme s'il avait reniflé quelque chose de mauvais.

Après avoir senti une dernière fois mon bras, il m'a jeté un regard qui signifiait très clairement que je l'avais trahi, puis il a sauté de mon lit et est allé dormir ailleurs.

Bref, Tig me faisait la tête.

Formidable ! Mon chat ne m'aimait plus.

Mais que s'était-il passé à cette fête ? Et qu'est-ce que j'allais faire ?

Qu'est-ce que je *pouvais* faire ? Évidemment, je pouvais toujours parler à Lance – de toute façon, j'allais devoir le faire, pour le tenir au courant de ma petite conversation avec Mr. Morton. Et si j'en profitais pour le convaincre de dire la vérité à Will ? Il valait mieux qu'il l'apprenne par lui que par Marco.

Pourquoi avais-je donc accepté cette sortie en mer ? Je n'avais nullement envie de voir Will et Jennifer main dans la main maintenant que je savais que ce qu'ils vivaient – du moins en ce qui concernait Jennifer – était faux.

Et j'étais quasi sûre que Marco ferait quelque chose qui embêterait tout le monde – ou Will, du moins –, parce qu'il n'avait pas réussi ce soir.

Mais... mais... une partie de moi avait envie de faire du bateau avec Will, celle qui avait envie de tout faire avec lui, pour être juste à ses côtés. Celle qui l'aimait, bien qu'il ait déjà une petite amie.

Celle qui, chaque fois qu'elle voyait une rose désormais, pensait à lui.

Mon Dieu... Dans quel pétrin m'étais-je mise ?

Je ne sais pas si la nuit porte conseil, mais lorsque je me suis réveillée le lendemain matin, j'ai su sans l'ombre d'un doute que j'irais faire du bateau avec A. William Wagner and Co.

Et pas seulement parce que ce serait une façon d'être près de lui. Non, je me suis réveillée avec le sentiment que c'était mon devoir d'y aller. Parce que – me suis-je dit et répété – je pourrais surveiller Marco. De toute évidence, il était décidé à semer la zizanie dans la vie de son demi-frère.

Mais pourquoi ? Pourquoi voulait-il nuire à Will ? Je n'arrivais pas à imaginer que Will ait pu lui faire du mal et qu'il cherche à se venger. Était-ce à cause de ce qui était arrivé entre leurs pères ? Marco en voulait-il autant au père de Will d'avoir épousé sa mère ? Ce qui était compréhensible, si ce qu'on racontait sur l'amiral Wagner était vrai. Mais pourquoi s'en prendre à Will ? C'est l'amiral Wagner qu'il devait punir, pas Will.

Comme prévu, Will m'attendait près de la statue d'Alex Haley, au bout de la rue principale menant au port d'Annapolis, un coin que les autochtones surnommaient le Couloir de l'Ego. Lorsque mes parents se sont garés et qu'on est descendus tous les trois, j'ai compris pourquoi. Tous les yachts de la ville se trouvaient là, et pour les sortir en haute mer, il fallait passer devant les terrasses des cafés et les bars où les gens s'installaient pour admirer les bateaux. Finalement, c'était un peu comme un défilé de mode.

Vu la taille de la statue qui lui était consacrée, Alex Haley, l'auteur de *Racines*, avait dû vivre à Annapolis. Entouré de petits personnages figurant des enfants assis par terre, il était représenté en train de leur lire une histoire. Will se tenait appuyé à l'un d'eux.

Dès que je l'ai vu, mon cœur a bondi dans ma poitrine, comme chaque fois. L'espace d'une seconde, j'ai cru qu'il était seul, que par un miracle incroyable on passerait la journée ensemble, rien que tous les deux. Et puis j'ai aperçu la chevelure dorée de Jennifer. Elle attendait avec Lance et Marco dans le petit canot pneumatique qui devait tous nous conduire au voilier de Will, ancré plus au large. Cette fois, au lieu de bondir, mon cœur s'est serré.

Et il a failli se retourner quand mes parents ont décidé d'aller saluer Will. Ils devaient sans doute le considérer comme leur grand ami maintenant qu'il avait partagé leur repas et emprunté le short de bain de leur fils.

— Salut, Will ! a lancé mon père. Un temps splendide pour sortir en mer, non ?

— Oui, monsieur, a répondu Will en se redressant tout sourires.

Il portait ses Ray-ban pour se protéger du soleil et la brise soulevait ses cheveux noirs bouclés. Il s'est penché vers moi et a dit, plus bas :

— Je suis content que tu sois là.

Avant que j'aie le temps de lui répondre, ma mère a commencé à lui poser toutes sortes de questions : depuis combien de temps naviguait-il ? Avait-il suffisamment de gilets de sauvetage ? Etc. Bref, le genre de questions que vous ne supporteriez pas que votre mère pose au garçon pour qui vous avez le béguin, la première fois qu'il vous invite à faire un tour en mer.

Les réponses de Will ont dû cependant satisfaire ma mère car elle a souri et m'a dit :

— Amuse-toi bien, ma chérie.

— À tout à l'heure, les enfants, a ajouté mon père avant de prendre ma mère par le bras en se dirigeant vers la voiture.

Je les avais entendus dire qu'ils déjeuneraient chez Chick & Ruth.

J'ai regardé Will.

— Désolée, ai-je murmuré.

— Pas de problème, a répondu Will en souriant. Ils se font du souci pour toi, c'est mignon.

— On peut changer de sujet ? ai-je demandé en le suppliant du regard.

Will a éclaté de rire.

— Vous vous dépêchez ! a crié Jennifer depuis le canot pneumatique. On est en train de gâcher les meilleures heures pour bronzer.

— Et il est bien connu que la reine ne doit surtout pas être blanche comme un cachet d'aspirine, a fait observer Marco.

Jennifer a fait mine de le taper et Lance, qui tenait le gouvernail, s'est assis entre eux deux en souriant.

— Je me mets avec Jen, a-t-il annoncé (un choix malheureux pour ceux qui étaient dans le secret). Ras le bol des touristes qui nous regardent !

Will lui a fait signe de parler moins fort, puis il m'a tendu quelque chose qui traînait au fond du canot. C'était un gilet de sauvetage – heureusement, pas l'un de ces gilets orange qui vous donnent des allures de Bibendum, mais un modèle bleu marine bien plus seyant.

J'étais en train de l'enfiler quand plusieurs jeunes de notre âge sont arrivés et ont commencé à s'entasser dans un petit bateau à moteur, amarré à quelques bittes du nôtre. Ils avaient une énorme chambre à air avec eux et quand l'un d'eux l'a lancée, au lieu d'atterrir dans leur bateau, elle est tombée dans le bateau rangé à côté du leur, où un homme et une femme d'un certain âge s'apprêtaient à rejoindre leur yacht.

— Désolé ! a lancé l'un des jeunes tout en récupérant la chambre à air.

— Vous êtes *désolé* ? a répété l'homme d'un air dégoûté. C'est moi qui suis désolé. Désolé qu'on laisse des gens comme vous venir ici.

Je me suis aussitôt redressée, mon gilet à moitié attaché, choquée par les propos que je venais d'entendre. Personne ne parle comme ça dans le Minnesota.

— Hé, monsieur, est intervenu l'un des jeunes. Mon copain, il ne voulait pas...

— Pourquoi ne retournez-vous pas là d'où vous venez ? l'a interrompu l'homme tandis que sa femme, bouche pincée, serrait les poings.

— Pourquoi *vous* ne retournez pas là d'où *vous* venez ?

Mais ce n'est pas un des garçons du bateau à moteur qui avait posé cette question. C'était Will.

L'homme a paru aussi surpris que moi. Il a jeté un regard étonné à Will de dessous sa casquette

de capitaine, puis a dit, sur un ton désapproba-
teur :

— Je vous demande pardon, jeune homme,
mais je suis né dans ce pays, ainsi que mes
parents.

— Oui, mais les parents de vos parents ? a
demandé Will. À moins que vous ne soyez un
Indien d'Amérique du Nord, je ne crois pas que
vous puissiez dire aux gens de retourner dans leur
pays.

La femme est restée bouche bée. Puis elle a
donné un coup de coude à son époux, qui a lancé
son moteur, l'air furieux.

— C'était un endroit agréable autrefois ! Ce
n'est plus le cas, a-t-il déclaré avant de s'éloigner.

— Il y a des gens qui ont plus d'argent que de
bon sens, a murmuré Will en se tournant vers
moi.

J'ai lâché un soupir.

— Oui, c'est bien vrai.

Il a souri, puis m'a aidée à sauter dans le canot.

ᕓ CHAPITRE 13 ᕓ

Tandis que la rivière s'agite et tourbillonne
Le long du village maussade et glacial,
Les capes rouges des filles du marché
S'éloignent de Shallot.

Ce qui n'était pas évident vu qu'il n'y avait pas beaucoup de place. Je me suis finalement retrouvée entre Marco et Lance tandis que Jennifer, elle, avait la chance – ou la malchance – d'être entre Lance et Will.

Mais, apparemment, cela ne la gênait pas.

— Qu'est-ce qui s'est passé ? a-t-elle demandé.

— Oh, c'est Will qui a voulu jouer au Grand Justicier, a lancé Marco d'un ton las.

Will a ignoré la remarque de son demi-frère.

— Tout le monde est prêt ? Si vous avez besoin de quelque chose à terre, c'est maintenant ou jamais. Vous ne la reverrez pas avant un certain moment.

Comme personne ne protestait, il a démarré le moteur et le canot est parti en direction du voilier de Will, le *Pride Winn*, ancré au milieu du port.

J'ai su alors, malgré la scène désagréable à laquelle on venait d'assister, que j'avais bien fait d'accepter l'invitation de Will. Attention, je ne suis pas en train de dire que ça me faisait plaisir de voir Will et Jennifer assis si près l'un de l'autre que leurs épaules se frôlaient à chacun de leurs mouvements (avec les épaules de Lance qui frôlaient celles de Jennifer, de l'autre côté). Ou que je trouvais Marco drôle quand il adressait des gestes obscènes aux clients des terrasses (de toute évidence, personne ne lui avait parlé de la bonne image de soi qu'on donnait aux autres).

Non, c'était juste agréable d'être éclaboussée de temps en temps par une vague, de sentir la brise de la mer sur mon visage et de voir les canards, suivis de leurs canetons, s'écarter en vitesse sur notre passage.

Et puis, quand on est enfin arrivés au voilier de Will, devant l'élégance de sa ligne, la finesse de son mât et sa coque en bois si nette et brillante sous le soleil, la colère qui m'avait envahie quand le couple s'en était pris aux jeunes a complètement disparu.

Il y a des tas de choses à faire sur un bateau avant de mettre les voiles, et on s'est tous activés sous les ordres de Will, et parfois de Lance. Du moins, Jennifer et moi, car Marco, lui, semblait n'en faire qu'à sa tête, même s'il savait manifestement se rendre utile sur un bateau.

Quoi qu'il en soit, chaque fois que Jennifer, en pleine action, se retrouvait sur le passage de Lance et murmurait un « excuse-moi » poli, il me regardait en souriant. J'avoue qu'au bout d'un moment, ça a commencé à m'agacer.

Moi qui avais espéré, avant de partir, trouver un moment pour parler en tête à tête avec Lance de Mr. Morton, et lui dire... eh bien... que je savais pour Jennifer et lui, mais pire, que Marco aussi savait, c'était raté.

Quant à avoir une conversation privée avec lui une fois en haute mer, ce n'était pas la peine d'y songer, même sur un bateau de la taille du *Pride Winn*.

Cela dit, quand les voiles se sont gonflées sous le vent et que le bateau a filé sur l'eau, il était difficile de ne pas se laisser griser par la vitesse. On était tous dans le même état d'excitation, même

Marco, qui semblait avoir oublié ses petits sourires sardoniques.

— C'est génial, hein ? m'a-t-il lancé en croisant mon regard.

— Oui, ai-je répondu.

Devant son air si sincère, je me suis demandé
si finalement je ne m'étais pas trompée sur lui.
Peut-être n'était-il pas si méchant, après tout ?

— Vous avez de la chance, ai-je ajouté.

— De la chance ? a-t-il répété. Pourquoi ?

— Parce que vous avez un bateau. Nous, tout
ce qu'on a, c'est une caravane.

Il m'a souri, d'un vrai sourire, et a dit :

— Ce n'est pas moi qui ai de la chance. C'est
Will. Le bateau lui appartient. Avant que ma mère
épouse son père... eh bien... disons qu'on n'avait
même pas de caravane.

La chaleur qui nous avait unis un instant plus
tôt a disparu tels les embruns emportés par le
vent lorsque Marco s'est tourné vers Will et lui a
jeté un regard que je ne pourrais qualifier que
de... mauvais.

Will, qui n'avait rien suivi de notre échange,
m'a alors demandé :

— Qu'en dis-tu, Elle ? Ça te plaît ? Est-ce que
tu as le pied marin ?

Will était si beau, debout à la barre et les cheveux au vent que j'ai immédiatement oublié les paroles de Marco. Et puis, il m'avait appelée Elle.

— Oh, oui, ça me plaît ! ai-je répondu avec enthousiasme.

Dès ce soir, j'allais parler à mes parents et les pousser à acheter un bateau. Ce n'était pas gagné d'avance vu que leur connaissance de la mer était pire que celle des piscines. Mais la voile, c'était trop agréable pour ne pas en faire régulièrement. C'était même mieux que de se laisser porter sur l'eau allongé sur un matelas pneumatique. Parce qu'on ne peut pas pique-niquer sur un matelas. Enfin, si, mais on risque d'en mettre partout.

La mère de Marco nous avait préparé de délicieux sandwichs, des roulés au crabe et de la salade de pommes de terre qu'elle avait rangés dans un panier en osier.

Je ne sais pas si c'est le fait d'être entourés d'eau, mais on était affamés. Tout en mangeant, on a évidemment commenté la soirée de la veille, s'attardant sur qui était sorti avec qui (j'ai remarqué que Jennifer était plus que prolixe sur le sujet, peut-être pour éviter de devoir s'expliquer sur sa longue absence) et sur ce que chacun portait.

Apparemment, dire du mal des autres dans leur dos était le grand plaisir des stars d'Avalon

197

High – du moins de Jennifer. Il ne fallait pas que j'oublie de le raconter à Liz. Je suis sûre que ça l'intéresserait.

Alors que le déjeuner tirait à sa fin, l'occasion d'interroger enfin Will sur le nom de son bateau s'est enfin présentée. Marco, qui m'a entendue, a éclaté de rire :

— Oui, Will ! Explique-lui d'où vient le nom de *Pride Winn* ! a-t-il lancé.

Will a regardé Marco d'un air faussement moqueur et s'est tourné vers moi.

— Ça ne veut rien dire, en fait. C'est juste un nom qui m'est venu à l'esprit quand mon père et moi, on a envisagé pour la première fois d'acheter un bateau. Et il est resté, voilà tout.

— On dirait le nom d'une épicerie, a fait remarquer Lance, la bouche pleine.

— Tu confonds avec Winn-Dixie[1], a dit Jennifer en riant.

— Et alors ? Winn-Dixie, *Pride Winn*, c'est pareil, non ?

Ce n'est que lorsque la conversation a dérivé des élèves d'Avalon High aux professeurs que je me suis souvenue de Mr. Morton. Abandonnant

---

1. Winn-Dixie : nom d'un supermarché.

tout espoir d'un entretien privé avec Lance, j'ai dit :

— Au fait, Lance, Mr. Morton veut nous voir lundi matin, tous les deux, dans sa classe.

Lance a levé les yeux du paquet de chips qu'il tenait dans les mains.

— Tu parles sérieusement ?

— Oui.

— Mais pourquoi ?

— Je crois qu'il veut nous parler de notre exposé.

— Tu ne lui as pas rendu le plan ?

— Si, bien sûr, ai-je répondu, brusquement gênée par la présence de Jennifer, de Will et de Marco. C'est juste que... je ne sais pas. Mais j'ai eu l'impression qu'il avait deviné qu'on n'avait pas travaillé ensemble.

— C'est parce que ton texte n'était pas truffé de fautes d'orthographe ! a plaisanté Will.

— Ha, ha, a fait Lance.

— Désolée, ai-je dit. Mais il a l'air de tenir au fait qu'on travaille à deux...

— Je me demande pourquoi, est intervenu Marco sur le ton de celui qui, pour une raison ou pour une autre, savait parfaitement pourquoi, justement.

Mais lorsque je me suis tournée vers lui pour

lui demander de quoi il parlait – bien que, honnêtement, je ne sois pas sûre de vouloir le savoir –, j'ai vu que Marco ne prêtait attention à personne en particulier. Il regardait au loin, en direction d'un vieux bateau à moteur qui avançait en haletant. Je l'ai reconnu tout de suite. C'était le bateau des jeunes garçons qu'on avait vus au port, ceux qui avaient embarqué avec eux la chambre à air. Ils étaient si nombreux pour une si petite embarcation que deux d'entre eux se tenaient à l'arrière et touchaient presque l'eau.

— Attention ! Poids lourd en vue ! a lancé Marco.

Personne n'a ri. Will a même paru légèrement las des plaisanteries douteuses de son demi-frère.

— C'est bon, Marco, a-t-il dit.

Mais Marco l'a ignoré.

— Regardez !

Et là-dessus, il a pris la barre que Will avait délaissée le temps de manger son sandwich.

— Arrête, Marco ! Laisse-les tranquilles, a prévenu Will en devinant ses intentions.

Marco a éclaté de rire et a dirigé le *Pride Winn* en direction de la petite embarcation. S'il ne modifiait pas sa trajectoire, on allait entrer en collision avec eux !

— Voyons, Will, ce rafiot ne mérite pas de

naviguer, a continué Marco. Je veux juste leur faire prendre conscience de leur erreur.

À mon avis, il voulait plus...

D'ailleurs, je ne suis pas la seule à l'avoir pensé. Comprenant en effet que Marco n'avait nullement l'intention de dévier sa course, le capitaine du bateau à moteur a brusquement viré de bord, faisant dangereusement pencher son bateau d'un côté... et projetant à l'eau l'un des deux garçons assis à l'arrière.

— Vous avez vu ! a lancé Marco en éclatant de rire.

— Très drôle, a fait Will.

— Hé ! s'est exclamée Jennifer. Il n'a pas de gilet de sauvetage !

Tandis que le garçon se débattait dans l'eau, ses camarades se sont approchés du bord pour tenter de le repêcher mais, à notre grand désarroi, on a vu sa tête s'enfoncer une fois, puis deux fois... avant de disparaître complètement.

— Bravo, Marco, a marmonné Will en retirant ses chaussures. Merci beaucoup.

Et avant que l'un de nous n'ait le temps d'intervenir, il a plongé.

❧ CHAPITRE 14 ❧

Dansant sur le miroir clair comme l'eau de roche
Devant elle toute l'année,
Les ombres du monde se reflètent.
Et là, elle voyait la route toute proche
Qui serpentait en direction de Camelot.

Cela n'avait rien à voir avec l'eau claire et limpide de ma piscine.

Ici, la mer était profonde et opaque, et agitée par les vagues. Il devait probablement y avoir des requins. Et des contre-courants.

Tandis que la tête de Will disparaissait sous la surface sombre de l'eau, j'ai retenu ma respiration : le reverrais-je jamais ?

Apparemment, je n'étais pas la seule à craindre le pire. Lance, qui scrutait les vagues à la recherche de la moindre trace de Will, a marmonné d'un air aussi menaçant que Cavalier la nuit précédente :

— Je te préviens, Marco, s'il lui arrive quoi que ce soit, tu me le paieras.

— S'il lui arrive quoi que ce soit, ta vie sera bien plus simple, non ? a rétorqué Marco d'un ton neutre.

Lance a rougi, puis je l'ai vu croiser le regard de Jennifer. Son visage à elle exprimait la peur – mais pour qui avait-elle peur ? Pour Will ? Pour elle-même ? Ou venait-elle de mesurer la portée des paroles de Marco ?

Une seconde plus tard, la tête de Will est apparue au milieu des flots. Puis il a nagé vers l'endroit où le garçon avait disparu, frappant et battant avec force l'eau de ses bras et de ses pieds.

— Fais demi-tour, a brusquement dit Jennifer à Marco sur un ton que je ne pouvais qu'admirer.

— OK, a répondu celui-ci, mâchoires serrées, tout en poussant la barre du *Pride Winn*.

Remarquant alors que je le regardais fixement, il a souri.

— Je ne comprends pas pourquoi vous en faites tout un plat. Ce ne sont que des touristes.

Comme mon regard se durcissait, il a ajouté :

— Je plaisante ! Je plaisante ! Bon sang, ça ne vous arrive jamais de rigoler ? Ça ne t'arrive jamais, mademoiselle ?

204

— C'est peut-être juste *tes* plaisanteries qu'on ne trouve pas drôles, ai-je rétorqué.

Le capitaine de l'autre bateau avait coupé son moteur et, tout comme ses copains, il se tenait debout, contre le rebord, et fixait la surface de l'eau. Une fois atteint l'endroit où on avait tous vu le malheureux garçon pour la dernière fois, Will a plongé dans les profondeurs de la mer.

— Où sont-ils ? a murmuré Jennifer à côté de moi avant de me saisir le bras et de le serrer de toutes ses forces, son regard ne quittant pas la mer. Où est-il ?

Un sentiment de culpabilité m'a envahie. Comment avais-je pu avoir de mauvaises pensées à l'égard de Jennifer ? Son angoisse n'était manifestement pas feinte. D'accord, elle aimait Lance, mais je suis sûre qu'une partie d'elle-même – une grande partie – aimait toujours Will... et l'aimerait probablement toujours, quoi qu'il arrive entre eux...

... et quel que soit le dénouement de ce qui se jouait sous nos yeux alors.

Comme je continuais de l'observer – son joli visage paralysé par l'inquiétude, ses yeux bleus fouillant la mer –, j'ai vu tout à coup qu'elle changeait d'expression. Elle souriait et se détendait, l'air soulagée.

J'ai aussitôt tourné la tête et j'ai vu Will qui ramenait le garçon vers le bateau à moteur.

— Ouf, a lâché Jennifer en s'appuyant contre moi.

Lance, qui était blême de peur sous son bronzage, a repris des couleurs. Quant à Marco, il s'est contenté de bâiller et s'est ouvert une canette de Coca.

On est restés silencieux jusqu'au retour de Will. Du moins, Jennifer et moi. Lance, lui, commentait à voix haute ce qui se passait dans l'autre bateau.

— OK, ils viennent de hisser le gamin à bord. Il crache beaucoup, il a dû avaler plus d'une fois la tasse, mais tout va bien. Will revient. Il nage vers nous...

Tout en mangeant un autre roulé au crabe, Marco a commencé à tourner les boutons de la radio, à la recherche d'une station de musique. Voyant que Jennifer l'observait d'un air agacé, il a lancé, tout innocemment, comme s'il ne comprenait pas pourquoi elle le regardait si durement :

— Qu'est-ce qu'il y a ?

Will est arrivé sur ces entrefaites, les traits tirés.

— Ils ont décidé de ne pas appeler la police

du port, a-t-il déclaré après que Lance l'a aidé à grimper à bord.

— Évidemment qu'ils ne vont pas l'appeler, a fait observer Marco d'un ton railleur. Sinon les flics découvriraient qu'ils ont enfreint les règles de sécurité en entassant autant de personnes sur un rafiot de ce genre. Par ailleurs, c'est la faute de ce stupide gosse. S'il ne s'était pas assis...

— Ce stupide gosse, comme tu dis, a failli se noyer ! l'a interrompu Will. Voyons, Marco, à quoi tu pensais ?

— Je ne sais pas, a répondu Marco en haussant un seul sourcil. Peut-être que je ne supportais plus la tension.

— Quelle tension ?

— La tension sexuelle.

J'ai vu ses yeux sombres se tourner rapidement vers Jennifer, à l'avant du bateau. Elle était allée chercher une serviette pour Will mais, en entendant les paroles de Marco, elle s'est brusquement figée.

— Ne me dites pas que vous ne l'avez pas sentie ! a continué Marco en nous interrogeant tour à tour du regard, Will, Lance, Jennifer et moi. Moi, ça me rendait fou.

Pressentant ce qui allait suivre et prête à tout

pour l'éviter, je me suis brusquement avancée et j'ai déclaré :

— Je crois qu'on devrait rentrer. Tu n'es pas d'accord, Jennifer ?

Jennifer n'avait pas quitté Marco des yeux. On aurait dit qu'elle observait un... un serpent, et qu'elle se demandait s'il était inoffensif – comme celui que j'avais repêché dans notre piscine – ou s'il s'agissait d'une espèce vénéneuse qui pouvait l'envoyer dans le coma.

— Oui, a-t-elle fini par répondre. Je suis d'accord avec Ellie. Je crois qu'on devrait rentrer.

Lance s'apprêtait à dire quelque chose mais, après un rapide coup d'œil à Jennifer, il s'est ravisé. Elle avait dû lui faire comprendre d'un regard qu'il valait mieux garder le silence. Quant à Will, qui avait pris la serviette des mains de Jennifer et se l'était nouée autour du cou, il déclara, sublimement innocent de ce qui se tramait autour de lui :

— Puisque les filles veulent y aller, allons-y ! Lance, affale la voile. On va rentrer au moteur.

— Oh, je vois ! a lancé Marco tandis que Lance commençait à défaire les nœuds qui maintenaient la voile en place. Oui, il vaut mieux que tu t'occupes des voiles, Lance. Ça t'aidera à penser à autre chose.

Will s'est alors tourné vers son demi-frère, les sourcils froncés.

— C'est quoi, ton problème, Marco ? lui a-t-il demandé sur le même ton que celui qu'il avait employé lorsqu'il s'était adressé au sportif devant la classe de Mr. Morton.

Un ton froid, glacial même. Un ton qui me faisait presque peur.

— C'est quoi, *mon* problème ? a répété Marco avec un rire amer. Pourquoi ne demandes-tu pas à Lance quel est *son* problème à lui ?

— Parce que je n'ai pas de problème, Campbell ! a explosé Lance. Excepté celui que j'ai avec toi.

Mais Marco a ri de plus belle.

— OK. J'avais oublié. Tu aimes bien être le larbin de Will.

Lance a serré les poings.

— C'est faux ! Tu...

— Oh, que si, tu aimes bien, a-t-il répété. (Puis, imitant de façon troublante la voix de Will, il a ajouté :) *Affale la voile, Lance. Occupe-toi de ce juge de touche, Lance. Protège le capitaine de l'attaque, Lance.*

Reprenant enfin sa propre voix, il a conclu :

— Mon Dieu ! Je comprends que tu n'en

puisses plus. Je ne te jette pas la pierre, mon vieux. Tu peux me croire.

Mon cœur s'est mis à battre la chamade. J'ai regardé Lance, le suppliant en silence de ne pas répondre.

Trop tard.

— Je ne sais pas de quoi tu parles, a commencé Lance, les muscles de son cou se tendant de manière menaçante. Mais...

— Laisse-le, Lance, est intervenue Jennifer. Ne l'écoute pas. Il cherche juste à semer la discorde entre nous.

— C'est *moi* qui sème la discorde ?

Marco a jeté un regard d'incrédulité à Jennifer.

— Tu penses que c'est moi qui sème la discorde ? a-t-il répété. Et toi, alors ? Will, pourquoi ne demandes-tu pas à ton cher ami Lance où il était hier pendant une bonne partie de la soirée ? Vas-y. Demande-lui.

Jennifer a blêmi, Lance a rougi.

— Tu ne sais pas de quoi tu parles, Campbell ! a-t-il toutefois réussi à dire.

— Franchement, Marco, a repris Jennifer d'une voix bien trop aiguë, ce n'est pas parce que tu n'as pas d'amis que...

— Je vais te dire, je préfère de loin ma position à celle de ce pauvre Will, a fait observer

Marco, un sourire sournois aux lèvres. Je veux parler d'amis comme vous, qui...

— Marco, suis-je intervenue en faisant un pas dans sa direction, tais-toi !

— Ça te déplaît, n'est-ce pas, Dame au lys ? a répliqué Marco avec un regard presque de pitié pour moi. N'as-tu toujours pas compris que tu t'étais trompée ? Tu n'as pas choisi le bon, je t'ai dit.

Il alors haussé les sourcils et a ajouté :

— À moins que ce ne soit Lance que tu protèges et non Will ?

Lance s'est jeté sur lui à ce moment-là. Je ne suis même pas sûre qu'il savait de quoi Marco parlait. Mais pour Lance, apparemment, ça ne faisait pas de différence. Le capitaine de l'équipe de football était menacé et c'était son boulot à lui de le protéger – même si, dans son cas, c'était sa faute.

Qui sait ce qui serait arrivé si Lance s'était abattu sur Marco ? Avec ses quatre-vingts kilos de muscles, il l'aurait entraîné à terre, pire, ils auraient basculé par-dessus bord tous les deux.

Mais Lance n'a pas eu le temps de plaquer Marco. Au dernier moment, Will l'a retenu en arrière en lui saisissant les deux bras.

Jennifer a saisi l'occasion pour s'interposer entre eux deux.

— Arrêtez ! Arrêtez tous les deux ! a-t-elle hurlé avant d'éclater en sanglots.

— C'est Campbell qui a commencé, s'est défendu Lance en cherchant à échapper à Will.

— Je crois qu'on sait tous qui a commencé, a fait observer Marco sur un ton plein de sous-entendus.

— Vous êtes devenus fous tous les deux ? a demandé Will.

— Ne l'écoute pas, Will ! a crié Jennifer. Il ne raconte que des mensonges !

— Tu es gonflée, Jen, a sifflé Marco. Pourquoi ne dis-tu pas à Will où tu étais hier soir quand il te cherchait partout dans la maison et qu'il ne te trouvait pas ? Pourquoi ne lui dis-tu pas, hein ?

Will avait alors relâché Lance. Non pas parce que celui-ci avait cessé de se débattre mais parce que, brusquement, on aurait dit que Will avait oublié de le retenir.

— De quoi parle-t-il ? a-t-il demandé en regardant d'abord Jennifer puis Lance, une expression d'étonnement sur son visage.

Voyant que ni l'un ni l'autre ne répondait, il a ajouté :

— Une minute. Pourquoi vous avez l'air si...

— Parce qu'ils s'aiment, a déclaré Marco en savourant manifestement sa victoire. Ils sortent ensemble dans ton dos depuis des mois, pendant que toi, tu...

❧ CHAPITRE 15 ❧

Ou quand la lune était au-dessus,
Deux jeunes amoureux venaient de se marier.
« Je suis presque malade d'ombres », dit
La Dame de Shallot.

Marco n'a pas fini sa phrase car Lance, que Will ne retenait plus, s'est jeté sur lui de tout son poids. Ils ont roulé tous les deux sur le pont du *Pride Winn*, faisant faire une embardée au voilier. J'ai été tellement surprise que j'ai dû me retenir au premier gréement que je trouvais pour ne pas basculer par-dessus bord.

Au moment où je me relevais, Lance avait réussi à maîtriser Marco. Apparemment, un coup de poing en pleine figure avait suffi. Marco gisait au fond de la cale en gémissant.

Très franchement, je ne me suis pas apitoyée sur son sort.

Mais mon cœur s'est serré quand j'ai vu Will,

le visage plus blanc que la voile qui claquait au vent, qui s'effondrait sur l'un des bancs du bateau, comme si ses jambes brusquement s'étaient dérobées sous lui.

— Ce n'est pas vrai ! lui disait Jennifer.

Elle le tenait par les épaules et pleurait. Pleurait vraiment. Rien à voir avec les larmes que les pompom girls versent à l'annonce d'une défaite de l'équipe qu'elles soutiennent.

— Il ment. Jamais on ne t'aurait fait ça, Lance et moi, a-t-elle continué. N'est-ce pas, Lance ?

Voyant que Lance ne répondait pas, elle lui a adressé un coup d'œil nerveux.

— N'est-ce pas, Lance ? a-t-elle répété. Lance ?

Mais Lance est resté silencieux. Il se tenait au milieu du bateau, les poings le long du corps, et fixait les pieds de Will. Puis il a relevé lentement la tête, comme si cela lui demandait un effort surhumain et a fini par croiser le regard de Will.

Il a alors dit les mots qui allaient changer le cours des choses à jamais :

— C'est vrai.

Jennifer a aussitôt porté la main à sa bouche. Son regard est allé de Lance à Will, puis de Will à Lance. Elle était atterrée. Les deux garçons, eux, n'avaient pas bougé.

Personne ne parlait. Personne ne respirait. On n'entendait que le souffle de la brise... et le crachotement de la radio que Marco avait allumée un peu plus tôt.

Jennifer a fini par baisser la main et, d'une voix que je n'oublierai jamais tellement elle exprimait la souffrance et le remords, elle a déclaré :

— Will..., je suis désolée.

Will ne s'est même pas donné la peine de la regarder. Il continuait de fixer Lance.

— C'était plus fort que nous, a dit celui-ci, avec un haussement d'épaules. On a essayé de résister, je te le jure, Will, mais c'était plus fort que nous.

Le visage ruisselant de larmes, Jennifer a ajouté :

— C'est la vérité, Will. On voulait te le dire, mais avec tout ce qui s'est passé... ton père et... Bref, on n'a jamais trouvé le bon moment pour le faire.

— Y a-t-il jamais un bon moment ? a fait remarquer Marco de là où il se trouvait, par terre, les mains sur les yeux. Un bon moment pour annoncer à un type que tu sors avec sa copine ?

— Tais-toi, Marco, ai-je lâché.

Marco a soulevé ses mains et m'a regardée, l'esquisse d'un sourire en coin. La moitié de sa bouche était enflée.

Ce qu'il avait l'intention de me dire ne m'intéressait pas. Je n'avais d'yeux que pour la scène qui se jouait devant moi.

— Will, dis quelque chose, n'importe quoi, a supplié Lance.

Il se tenait toujours au même endroit et n'avait pas quitté son ami du regard.

— Dis ou fais quelque chose, a-t-il poursuivi. Je ne sais pas, moi. Frappe-moi, je m'en fiche. De toute façon, je le mérite. Mais... s'il te plaît, ne reste pas comme ça.

Will a été le premier à baisser les yeux. Il les a baissés et a regardé ses pieds nus. Il n'avait pas eu le temps de remettre ses chaussures depuis qu'il était remonté à bord.

Lorsqu'il a enfin parlé, sa voix, aussi glaciale que la mer, était dénuée de toute émotion.

— Rentrons, a-t-il déclaré.

Il s'est alors levé et a affalé la grand-voile.

Le retour a été terrible. Terrible et silencieux. Personne ne parlait, hormis Marco, qui n'arrêtait pas de geindre à cause de sa lèvre fendue.

Une fois au port, on est tous montés à bord du canot pneumatique et Will a lancé le moteur. Il n'y avait pas groupe plus calme que le nôtre à se diriger vers le Couloir de l'Ego. Comme l'après-midi tirait à sa fin, toutes les chaises des cafés et des bars étaient occupées, et je sentais les regards envieux des touristes sur nous. Ils étaient assis là, en tenue blanche et mocassins, une bière ou un soda light à la main, à des lieues d'imaginer quel drame on vivait. Chaque fois que je regardais Will, mon cœur se serrait un peu plus. Il semblait totalement anéanti, et Lance et Jennifer n'avaient pas l'air mieux.

Au moment où on a accosté, Marco s'est tourné vers moi pour m'aider à me hisser sur le pont.

— Ne sois pas si triste, Dame au Lys, a-t-il dit. Cette histoire n'a rien à voir avec toi. Ni avec moi, d'ailleurs.

— C'est exactement pour ça que tu n'aurais pas dû t'en mêler.

— Hé ! Tu avais tes chances avec Lancelot ! Ce n'est pas ma faute si tu n'as pas su en tirer profit

Que pouvais-je répondre à ça ? Rien.

Derrière nous, Will attachait le canot à un corps-mort. Jennifer s'est approchée de lui.

— Will, a-t-elle murmuré d'une voix qui, selon

moi en tout cas, aurait fait fondre le plus dur de tous les cœurs.

Mais Will lui a tourné le dos et s'est éloigné en direction de sa voiture.

Marco et lui étaient apparemment venus ensemble car, après une élégante révérence, Marco m'a dit :

— C'était un plaisir, Lady Elaine.

Et sur ses paroles, il a rejoint Will, me laissant seule avec Jennifer et Lance. Ni l'un ni l'autre n'osait me regarder.

— Bon, ai-je dit, puisqu'il fallait bien que l'un de nous parle. Je ferais mieux d'y aller. Euh... Salut.

Ils ne m'ont même pas répondu.

Je les ai laissés ensemble près de la statue d'Alex Haley. Et je ne crois pas exagérer en disant qu'ils donnaient tous deux l'impression que le monde s'était effondré.

J'ai appelé mes parents d'une cabine téléphonique pour leur demander de venir me chercher. Ils ont semblé surpris de m'entendre. On n'était partis que quelques heures et ils ne s'attendaient pas à ce qu'on rentre si tôt.

Lorsqu'ils ont voulu savoir comment s'était passée notre sortie en mer, j'ai secoué la tête. Je ne voulais pas en parler. Je ne *pouvais* pas en parler.

Ils n'ont pas insisté, même quand, à peine rentrée à la maison, je suis montée directement dans ma chambre et en suis ressortie cinq minutes plus tard, en maillot de bain, avant de me diriger vers la piscine.

Je dois dire, à leur crédit, qu'ils m'ont épargné toutes réflexions sarcastiques du genre : « Oh, non ! Pas encore ! » ou « On pensait que tu en avais fini avec cette passion pour ton matelas pneumatique. »

Non, à la place, ma mère s'est juste contentée de lancer :

— Une pizza pour dîner, ça te va, Ellie ?

J'ai hoché la tête en signe d'assentiment.

Puis je suis sortie.

Le soleil s'était couché derrière un imposant amas de nuages gris, mais je m'en fichais. Je me suis hissée sur mon matelas et je suis restée, là, immobile, les yeux fermés.

J'avais toujours du mal à croire que j'aie été là quand la vérité avait éclaté.

D'abord, parce que ce genre de choses ne m'arrive jamais. Mais le fait que j'aie été *là*... que j'aie assisté à toute la scène. Non, cela me paraissait tellement impensable.

Pourquoi Marco avait-il agi de la sorte ? Cela dit, je ne pouvais pas vraiment lui en vouloir.

Mais le faire comme ça – devant Lance et Jennifer... devant moi. Ce n'était pas nécessaire, non ?

En même temps, Marco se comportait peut-être ainsi à cause de la mort de son père.

Pourvu que Will s'en sorte ! Comment pouvais-je lui venir en aide ? Il n'y avait rien à faire, j'imagine. Sauf être son amie. Être là pour lui. Et...

... le retrouver au fond de la ravine où j'étais sûre qu'il était allé après nous avoir quittés, et lui demander si je pouvais faire quelque chose.

Oui, c'est ça. Il fallait que j'aille le retrouver. Maintenant.

Je venais à peine de prendre cette décision et d'ouvrir les yeux que je l'ai vu, assis sur le rocher de la Mygale, qui me regardait.

CHAPITRE 16

Un chevalier à la croix rouge pour toujours age-
nouillé
Vers une dame, son bouclier
Scintillant sur le champ jaune,
De la lointaine Shallot.

Je n'ai pas hurlé cette fois. Je ne peux même pas dire que j'ai été surprise de le voir. Ça me semblait presque normal qu'il soit là, même si j'étais incapable d'expliquer pourquoi.

Il s'était changé et portait un jean et un tee-shirt propre.

Mais son visage arborait la même expression que lorsqu'il nous avait quittés... une expression d'une froideur extrême. Bien que le soleil soit couché, ses yeux étaient protégés par des lunettes de soleil.

Je suis cependant sûre que, si j'avais pu les voir, ils ne m'auraient donné pas plus d'indice sur ce qu'il éprouvait. Même sa voix, lorsqu'il a enfin parlé, était neutre.

— Tu étais au courant ?

Il ne m'avait dit ni « Salut », ni « Comment vas-tu, Elle ? »

Je ne méritais certes pas qu'il s'intéresse à moi puisque je connaissais la vérité et que je ne lui avais rien dit. Du coup, je ne lui en ai pas tenu rigueur et j'ai décidé de ne pas lui mentir. On lui mentait depuis suffisamment longtemps. Aussi, ai-je répondu simplement :

— Oui.

Pas de réaction. Du moins, aucune dont j'aie pu être le témoin.

— C'est pour ça que tu étais si bizarre hier soir ? a-t-il demandé. Pendant la fête. Quand on était sur le palier, devant la chambre d'amis. Tu savais qu'ils étaient là.

— Oui, ai-je à nouveau répondu, avec l'impression qu'on m'arrachait le mot de mes lèvres.

Qu'aurais-je pu répondre d'autre ? C'était la vérité.

Je me suis appuyée sur les coudes, m'attendant à des récriminations de sa part, m'y préparant même. Ce qui aurait été normal. J'étais son amie, non ? Et n'est-ce pas le rôle d'une amie de lever le voile sur la vérité quand dans son dos il se passe ce qui s'était passé ?

Mais à ma grande surprise, Will n'a rien dit de cela. Ni *Comment as-tu pu te taire ?* ni *Quel genre d'amie es-tu pour avoir gardé le silence ?*

J'aurais dû m'en douter. Will n'était pas comme les autres. Il ne ressemblait à *aucune* personne que j'avais rencontrée.

Non, à la place, il s'est juste contenté de murmurer :

— C'est bizarre, mais d'une certaine façon je m'en doutais.

J'ai cligné des yeux. Je m'attendais à tout sauf à ça !

— Une minute, ai-je fait. Qu'est-ce que tu viens de dire ? Tu t'en doutais ?

— Oui. Ça me paraissait même évident. Pour être franc... eh bien..., je suis même soulagé.

Il a alors retiré ses lunettes de soleil et m'a regardée. Mais *vraiment* regardée.

Et j'ai vu qu'il n'était ni blessé, ni anéanti, ni même triste. Il avait plutôt l'air... songeur.

— Ça paraît dingue, hein ? Que je me sente soulagé, je veux dire. Soulagé d'avoir été trompé par ma petite copine et mon meilleur ami. Faut être frappé pour être soulagé, tu ne penses pas ?

Je n'ai rien répondu. Parce que je savais de quoi il parlait.

Ce que je ne comprenais pas, en revanche, c'est pourquoi je le savais.

— Peut-être que..., ai-je commencé. Peut-être que tu es soulagé parce qu'au fond de toi tu savais qu'ils étaient faits l'un pour l'autre. Que c'est... juste ? Que Lance et Jen soient ensemble. Comprends-moi bien, Will. Jen t'aime, j'en suis persuadée, elle t'aime vraiment et Lance aussi t'aime. Plus que tout. Ça se voit. Et c'est peut-être pour ça qu'ils... qu'ils ont été attirés l'un par l'autre.

Je lui ai jeté un coup d'œil pour voir s'il était d'accord avec moi – ou s'il me suivait, car je n'étais pas sûre moi-même de bien savoir où j'allais.

— Attention, je... je ne dis pas que... Jen et toi ne formiez pas un beau couple, ai-je continué, vu qu'il était resté silencieux.

Tant pis si je bafouillais. Qu'est-ce que je pouvais faire d'autre ? Après tout, c'est *moi* qu'il était venu voir. De toutes les personnes qu'il connaissait, c'est *moi* qu'il avait choisie pour le réconforter en ces moments d'adversité. Il fallait que je dise *quelque chose*.

— Jen est une fille bien, mais...

— Je n'arrivais pas à discuter avec elle, m'a

coupée Will. De sujets importants, je veux dire. J'avais l'impression que ça ne l'intéressait pas. Tant qu'on parlait de shopping, de qui avait fait quoi ou qui était sorti avec qui, ça allait. Mais dès que j'essayais de lui dire ce que je ressentais par rapport à certaines choses, comme... eh bien, ce dont on a parlé ensemble, tous les deux, mon père, le silence au fond de la ravine, le chemin des veuves..., bref, dès que je lui parlais d'autre chose que du football, du bahut ou du centre commercial, elle... elle ne semblait pas comprendre.

Il n'a pas ajouté, *comme toi, Elle.*

Mais ce n'était pas grave. Il était venu me voir, non ? Il était assis ici, avec moi. Dans mon jardin. Au bord de ma piscine. Sur le rocher de la Mygale.

OK, peut-être était-il là seulement parce que j'étais une étrangère et que c'est parfois plus facile de parler à quelqu'un qu'on ne connaît pas vraiment.

Et il devait probablement me considérer comme une amie, c'est tout, une amie qui le faisait rire, et non comme moi je le considérais, c'est-à-dire comme le garçon avec qui j'aimerais passer le restant de ma vie.

Mais ça allait. Franchement. J'étais prête à

accepter ce qu'il me donnait. Et si c'était son amitié, eh bien, je m'en satisferais.

Aussi, quand il m'a demandé :

— Qu'est-ce que tu fais, ce soir ? d'une voix où l'on ne décelait aucun apitoiement sur soi, j'ai répondu :

— Je ne sais pas. Je crois que ma mère a prévu de la pizza à dîner.

— Tu crois que ça embêterait tes parents si je t'invitais ? Je connais un restaurant qui sert de délicieux crabes farcis.

— Euh..., non, je ne pense pas que ça les embête.

Et même si ça les embêtait, je m'en fichais.

Mais ils ont dit oui. Et c'est comme ça que je me suis retrouvée à dîner une nouvelle fois avec A. William Wagner. Que je l'ai fait rire tandis qu'on se partageait un crabe farci en imitant notre prof de gym, Mrs. Schuler. Qu'il a failli s'étouffer en mangeant sa glace lorsque je lui ai raconté, juste pour l'entendre rire à nouveau, la fois où je m'étais enfoncé une saucisse de hot-dog dans le nez à l'âge de quatre ans, et puis la fois où j'avais décidé de me couper les cheveux et où j'avais fini par ressembler à Russel Crowe dans *Gladiator*.

Puis, parce que j'avais des exercices de trigonométrie à faire et que lui avait de la physique, on est rentrés chez moi et on s'est installés à la table de la salle à manger pour faire nos devoirs. Will m'avait avoué qu'il n'était pas pressé de rentrer chez lui.

Ce que je pouvais comprendre. Pourquoi se serait-il dépêché de rentrer, d'ailleurs ? Pour retrouver un père qui voulait l'inscrire dans une école où il ne voulait pas aller, un demi-frère qui avait pris un malin plaisir à lui révéler ce qui... eh bien, devait de toute façon être révélé... mais pas de cette façon.

Mon père est venu nous voir pendant qu'on travaillait pour me demander un petit service. Il s'était enfoncé une agrafe dans le doigt, et comme ma mère était sous la douche, il avait besoin de quelqu'un pour l'aider. Heureusement, c'était une mini-agrafe. On est tellement maladroits dans notre famille que nous utilisons, comme les enfants, des... mini-agrafeuses. Du coup, j'ai réussi à l'enlever sans trop de mal et mon père est reparti dans son bureau. Alors que je me remettais au travail, je me suis rendu compte que Will avait cessé d'écrire. J'ai relevé la tête et j'ai vu qu'il me regardait fixement.

— Qu'est-ce qu'il y a ? ai-je dit en portant une main à mon nez. J'ai... quelque chose sur le visage ?

— Non, a-t-il répondu avec un sourire. C'est juste... la façon dont tu es avec tes parents. Je n'ai jamais eu ce genre de relation avec qui que ce soit, et certainement pas avec mon père.

— Parce que ton père est sans doute capable d'agrafer des documents sans se blesser, ai-je fait remarquer.

— Non, ce n'est pas ça. C'est la façon dont vous vous parlez. Vous donnez l'impression de... je ne sais pas... de vous intéresser à ce qui vous arrive aux uns et aux autres.

— Ton père s'intéresse à ce qui t'arrive, l'ai-je rassuré, avec l'envie secrète d'attraper l'amiral Wagner par le col et de le secouer. Mais peut-être pas comme tu aimerais qu'il s'intéresse à toi. Par exemple, le fait qu'il veuille que tu entres à l'École navale prouve qu'il se soucie de ton avenir. Je suis même sûre qu'il pense que c'est ce qu'il y a de mieux pour toi.

— Il ne le penserait pas s'il s'était donné la peine de me connaître. Car il saurait alors que, selon moi, faire plier un ennemi sous son joug en ayant recours aux armes est la dernière solution qu'une nation devrait adopter pour résoudre ses problèmes..

Ouah ! Faire plier un ennemi sous son joug ? Résoudre ses problèmes ? Will parlait de choses qui ne figuraient certainement pas dans la liste des sujets qu'abordaient normalement les garçons de son âge, comme les derniers jeux de la Xbox ou qui était la fille qui portait la jupe la plus courte au bahut.

— Tu l'as déjà dit à ton père ? ai-je demandé. Tu lui as confié ce que tu ressentais ? Il serait peut-être surpris, tu ne crois pas ?

Will a secoué la tête.

— Tu ne le connais pas, a-t-il répondu tout net.

— Et ta belle-mère ? Tu t'entends bien avec elle ?

— Jane ? a fait Will en haussant les épaules. Oui, ça va.

— Pourquoi tu ne lui racontes pas ce que tu m'as dit, alors ? ai-je suggéré. Si elle prend ton parti, elle pourra peut-être obtenir de ton père qu'il revoie sa décision. Il ne veut peut-être pas t'écouter, toi, mais sa femme si, sans doute.

Les yeux de Will ont semblé briller d'un éclat plus vif qu'à l'ordinaire.

— C'est une excellente idée ! s'est-il exclamé.

Évidemment, j'ai piqué un fard ! Qu'est-ce que vous croyez ?

— Comment ai-je pu ne pas y penser ?

— Tu n'as pas l'habitude d'avoir deux

parents, ai-je dit. Quand tu grandis avec une mère et un père, tu apprends à monter l'un contre l'autre. C'est presque de l'art.

— J'ai du mal à imaginer ton père te refuser quelque chose...

— C'est vrai, il me dit rarement non. En revanche, ma mère est beaucoup plus ferme.

J'ai senti alors une vague de chaleur m'envahir, en commençant par l'extrémité de mes doigts. Quand j'ai baissé les yeux, j'ai vu que Will avait posé sa main sur la mienne.

— Comme toi, a-t-il soufflé.

— Je ne suis pas quelqu'un de ferme.

S'il avait su à quel point le simple contact de sa peau contre la mienne faisait fondre mon cœur, il aurait bien vu que je ne suis pas ferme du tout !

Tout en maintenant sa main en place, il a ajouté :

— Ce n'est pas une critique. C'est même l'une des choses que je préfère chez toi. Cela dit, je n'aimerais pas être celui qui viendrait te contrarier.

Il y a peu de chances pour que cela arrive, ai-je eu envie de répondre. Mais je n'en ai rien fait tellement j'étais abasourdie. Pas seulement parce qu'il venait en gros de me dire qu'il m'aimait bien – il m'a dit qu'il m'aimait bien !!! –, mais par ce que j'avais éprouvé quand ses doigts avaient tou-

232

ché les miens, comme un frisson qui avait parcouru toute la longueur de mon bras. Rien à voir en tout cas avec la froideur que j'avais ressentie quand Marco m'avait saisie par le poignet.

Je ne sais pas quel était le lien qui nous unissait l'un à l'autre – pourquoi il pensait me connaître alors qu'on ne s'était jamais rencontrés et pourquoi il avait l'impression qu'il pouvait me confier des choses qu'il n'avait jamais dites à personne... ou pourquoi je l'aimais tant, au point de vouloir le protéger de tout, même de lui-même.

Mais je n'allais pas remettre cela en question, surtout maintenant qu'il était libre. D'accord, je ne suis pas une pompom girl, je ne suis pas blonde et si l'on se retourne sur mon passage, c'est seulement parce que je fais une tête de plus que la moyenne des gens.

Mais parmi toutes les personnes que Will connaissait, c'était moi qu'il était venu voir. Qu'il ait ou non ressenti ce même frisson quand il m'avait touché la main, qu'il me considère comme une simple amie ou plus, rien ne pourrait jamais effacer le fait que c'était vers *moi* qu'il était allé au moment où il avait le plus besoin de parler à quelqu'un.

Il a relâché ma main puis, tenant son stylo comme un cigare, il a déclaré, dans une très mauvaise imitation d'Humphrey Bogart dans *Casablanca* :

— Elle, je crois que c'est le début d'une très belle histoire.

— Amitié, ai-je corrigé en essayant de ne pas lui montrer comme j'étais émue. La réplique est...

— Peu importe, m'a-t-il coupée, toujours avec la voix d'Humphrey Bogart. Remets-toi au travail.

Et il a indiqué mon classeur du bout de son stylo-cigare.

Un large sourire aux lèvres, je me suis penchée sur mes logarithmes. Je crois que je n'avais jamais été aussi heureuse de ma vie.

Ce que je ne savais pas alors, c'est que ce n'était pas le début d'une histoire qu'on était en train de vivre, Will et moi, mais *le milieu* de quelque chose qui durait depuis très longtemps et qui était tout sauf beau.

CHAPITRE 17

Dehors la toile s'est envolée,
Le miroir s'est brisé,
« La malédiction est sur moi ! » s'écrie
La Dame de Shallot.

Je suis arrivée la première dans la classe de Mr. Morton le lendemain matin. Avant même Mr. Morton. Je me suis assise au premier rang et j'ai jeté un coup d'œil à la pendule. Sept heures quarante. Les cours commençaient dans vingt minutes.

Où était Lance ?

Lorsque Mr. Morton est entré, à sept heures quarante-cinq, Lance n'était toujours pas là. Mr. Morton, en nœud papillon et veste à chevrons – trop chaud, ai-je pensé, pour Annapolis et cette période de l'année –, a posé sa tasse de café, son journal et son attaché-case, et a écarté la chaise du bureau.

Il s'est assis, mais n'a pris ni son journal ni sa tasse de café. À la place, il a fixé la pendule, comme moi.

Mais à mon avis, on ne pensait pas à la même chose, tous les deux... vu que je me remémorais la soirée de la veille et que je revoyais Will, une fois ses devoirs finis, se penchant sur moi et m'aidant à faire mes logarithmes. Puis souriant quand mon père était descendu et nous avait dit : « Les enfants, il est onze heures. Il serait peut-être temps de songer à se coucher. » Et répondant : « À demain, monsieur », ce qui signifiait qu'il envisageait de revenir le lendemain.

Sept heures cinquante.

— Vous avez prévenu Mr. Reynolds, n'est-ce pas ? a demandé Mr. Morton.

— Oui. Je suis sûre qu'il va arriver d'un instant à l'autre.

Sauf que je commençais à en douter. Peut-être Lance avait-il oublié. Il s'était passé tellement de choses... non seulement en ce qui me concernait, mais en ce qui le concernait, lui aussi. Après tout, il avait peut-être gagné une petite copine mais il avait perdu son meilleur ami... du moins, c'est ce qu'il devait penser, Will ne l'ayant certainement pas appelé pour lui dire quelque chose comme *Bon allez, je passe l'éponge.*

236

En tout cas, à onze heures hier soir, il ne l'avait pas fait.

Et il n'en avait d'ailleurs pas l'intention. On en avait parlé entre deux logarithmes. Will m'avait confié qu'il ne pouvait décemment pas en vouloir à Lance et à Jennifer puisque ce qu'il avait ressenti lorsqu'il avait appris qu'ils sortaient ensemble était plus du soulagement que du ressentiment. Quelle déception pour les commères du lycée, avais-je rétorqué. Elles auraient tellement préféré assister à quelque rebuffade dramatique au réfectoire.

Will avait éclaté de rire et m'avait assuré qu'il ne voulait surtout pas priver les élèves d'Avalon High de leur droit à être divertis, aussi attendrait-il peut-être un jour ou deux avant d'accorder publiquement son pardon aux deux fautifs.

Mais Lance n'était pas au courant de tout cela. Il aimait vraiment Will et était rongé par la culpabilité.

Étant donné ce qu'il traversait, c'est sûr qu'un rendez-vous avec un prof avait dû lui passer bien au-dessus de la tête.

— J'aurais peut-être dû lui rappeler que vous vouliez nous voir tous les deux ce matin, ai-je dit à Mr. Morton. Lance a pas mal de … de soucis en ce moment.

— Et il n'aura pas la moyenne en anglais, ce qui ne nous changera guère des années précédentes, a répliqué Mr. Morton sur un ton sec.

— Oh, non ! Ne faites pas ça, s'il vous plaît ! Lance est dans une mauvaise passe. Mais...

— Les tribulations du gardien star de l'équipe de football d'Avalon High ne m'intéressent pas. Je suis persuadé qu'il regrette ce qui est arrivé à Mr. Wagner, samedi, pendant le match, mais ça ne me regarde pas.

— Je ne parlais pas du match, ai-je fait observer. Son meilleur ami et sa petite copine se sont disputés et...

— Je ne vois pas en quoi Mr. Reynolds pourrait être concerné par une dispute entre son meilleur ami et la petite copine de celui-ci. En tout cas, cela n'excuse pas son absence.

— C'est juste que...

C'était ridicule de raconter ce genre de choses à un prof. Ça ne le regardait pas ! D'un autre côté, j'estimais que Lance avait une raison légitime d'avoir oublié le rendez-vous de Mr. Morton.

— C'est juste que c'est lui, Lance, qui a provoqué cette dispute, ai-je continué. Ce n'est pas vraiment sa faute... enfin, si, plus ou moins. Mais je ne pense pas qu'il aurait pu faire quoi que ce

238

soit pour l'empêcher. Jennifer non plus, d'ailleurs.

Voyant que Mr. Morton me dévisageait, l'air incrédule, je me suis rendu compte que je n'avais pas dû être très claire. Aussi, ai-je ajouté :

— Tout ça est très compliqué, Mr. Morton, et c'est sans doute pour ça que Lance a oublié. Ne serait-il pas possible dans ce cas de... déplacer le rendez-vous à demain ? Je vous promets que...

Je me suis brusquement tue : Mr. Morton était blanc comme un linge.

On aurait dit qu'il allait se trouver mal.

— Mr. Morton ? ai-je fait en me levant tout à coup. Vous allez bien ? Voulez-vous que j'aille vous chercher un verre d'eau ou que j'appelle quelqu'un ?

Mr. Morton s'était levé lui aussi. Il se tenait au bord du bureau, comme s'il était sur le point de s'effondrer, et marmonnait dans sa barbe. Lorsque je me suis précipitée à ses côtés et que je me suis penchée vers lui – il avait peut-être besoin d'un médecin ? –, j'ai été surprise de l'entendre dire :

— Trop tard. Je n'en avais aucune idée. Nous sommes arrivés trop tard. Beaucoup trop tard.

J'ai jeté un coup d'œil à la pendule.

— Il n'est pas trop tard, Mr. Morton, ai-je dit,

confuse. La cloche ne va sonner que dans cinq minutes et...

Il a redressé la tête.

J'ai aussitôt eu un mouvement de recul. Je n'avais jamais vu un visage exprimer autant de désespoir – et de peur aussi.

— C'est fait, alors ? murmura-t-il. Elle est avec lui ? Elle est avec Reynolds ?

J'ai avalé ma salive avec difficulté. Je me doutais bien que les commérages iraient bon train quand on apprendrait ce qui s'était passé entre Will, Jennifer et Lance. En prenant l'autocar ce matin, j'avais entendu deux, trois élèves en parler. Bien que personne ne sache pourquoi la rupture *du* couple d'Avalon High était sur toutes les lèvres.

Mais qu'un professeur s'y intéresse était bizarre, non ? En tout cas, Mr. Morton semblait très mal prendre que Will et Jennifer aient cassé. Il y avait tellement de détresse dans ses yeux gris pâle, comme si ce qu'il venait d'apprendre lui était insupportable.

— Vous voulez parler de Jennifer Gold ? ai-je fait. Eh bien... oui, elle est avec Lance Reynolds, maintenant.

Sans doute parce que j'avais dit à Will que, s'il tenait à prouver qu'il était soulagé de les savoir ensemble, c'était l'explication qu'il devait donner à tout le monde, j'ai ajouté :

— Mais Will est très heureux pour eux.

Apparemment, cela n'a pas eu l'effet escompté, car Mr. Morton a blêmi davantage.

— Il est au courant, alors ?

Que se passait-il ? Depuis quand un professeur se souciait à ce point des histoires d'amour entre les élèves ? D'accord, il s'agissait de Mr. Morton, le prof préféré des élèves – du moins, de certains. Ceux qui ne voulaient pas sa mort, par exemple, comme Marco.

— Euh... oui. Will est au courant. Il l'a appris hier. Mais..., me suis-je empressée de préciser en voyant que le visage de Mr. Morton s'était décomposé, il va bien. Vraiment.

Mr. Morton s'est alors laissé tomber sur sa chaise et il est resté assis, là, en proie à une profonde détresse.

— Nous sommes condamnés, a-t-il murmuré.

Je ne savais pas quoi faire. Mr. Morton allait-il craquer, maintenant, là, devant moi ?

Mais pourquoi ? Et pourquoi avec qui sortait Jennifer Gold lui importait tant ?

Je me suis alors souvenue de la dernière fois où je l'avais vu. C'était pendant le match.

Tout à coup, j'ai compris. Enfin, je crois.

— Mr. Morton, franchement, vous ne devriez pas le prendre de manière aussi tragique, ai-je dit. Lance et Will s'apprécient, ils sont amis. Je suis même sûre que cette épreuve renforcera leur amitié.

Mr. Morton a relevé la tête et m'a regardée. Ses lèvres tremblaient, mais aucun son ne sortait de sa bouche. Puis, lentement, très lentement, il a retrouvé sa voix.

— J'ai essayé, a-t-il soufflé, le visage aussi blanc que la craie pour écrire au tableau. Ils ne peuvent pas dire que je n'ai pas essayé. J'ai fait de mon mieux pour que vous vous mettiez ensemble. Mais il était trop tard... tout simplement trop tard. Elles ont gagné. Une fois de plus.

— Mr. Morton, je crois vraiment que vous en faites toute une histoire quand cela n'a pas lieu d'être, ai-je insisté en espérant le convaincre. Avalon est encore très bien placé pour remporter la finale. Vous devez faire confiance à Will et à Lance. Ils vont s'en sortir.

Je me suis efforcée de lui sourire...

... mais j'ai très vite renoncé devant le regard noir qu'il m'a alors adressé.

— Vous... vous êtes bien en train de parler de football, n'est-ce pas, Mr. Morton ? ai-je demandé.

— De football ? a-t-il répété, comme s'il était sur le point d'avoir une attaque. *De football ?* Non, je ne parle pas de football, espèce d'imbécile. Je parle de l'éternel combat du Bien contre le Mal. Je parle d'un homme, né avec le pouvoir de faire en sorte que cette planète ne soit pas détruite, et des forces du Mal qui l'en empêchent.

Je suis restée bouche bée. Mr. Morton s'était penché en avant et me fixait intensément. J'étais paralysée. Incapable de parler. Presque incapable de respirer.

— Nous allons tous connaître de nouveau l'âge des ténèbres, a-t-il poursuivi de la même voix rocailleuse, et cette fois, nous n'aurons plus aucune lumière pour nous guider et nous aider à en sortir. Nous allons devoir attendre jusqu'à ce qu'un autre prenne sa place... s'il n'arrive pas trop tard. Je parle d'*échec*, Miss Harrison. De *mon* échec. Qui sera responsable de la souffrance de l'humanité entière. Voilà de quoi je parle, Miss Harrison. *Pas de football.*

J'ai cligné des yeux plusieurs fois.

— Oh, ai-je fait.

Qu'aurais-je pu dire d'autre ?

Mr. Morton s'est enfoncé dans son siège et a porté ses mains à son visage.

— Laissez-moi, Miss Harrison, a-t-il dit. Je vous en prie. Laissez-moi.

J'ai ramassé mon sac à dos. De toute évidence, il préférait rester seul. Quoi qu'il traverse, cela n'avait rien à voir avec moi. Et rien à voir avec personne, à part lui-même et ce qu'il conservait dans une petite bouteille cachée dans le dernier tiroir de son bureau.

Pauvre Mr. Morton. C'est clair qu'il ne tournait pas rond. Quand on a toute sa tête, on ne parle pas des forces du Mal qui s'apprêtent à nous détruire.

À moins que...

À moins que...

Alors que j'atteignais la porte, quelque chose qu'il avait dit m'est revenu à l'esprit et m'a rappelé les paroles de quelqu'un d'autre...

Je me suis retournée.

— Mr. Morton ?

J'ai attendu qu'il relève la tête – son visage exprimait toujours le désespoir – pour ajouter :

— Est-ce que cela a un rapport avec... la Dame au Lys, Elaine d'Astolat ?

Je n'oublierai jamais l'expression qui est alors passée sur son visage. Jamais.

— Qui... qui vous a parlé d'elle ? a-t-il

demandé d'une voix si âpre que j'ai senti que c'était un terrible effort pour lui. Qui ?

— Je... je fais un exposé sur elle, vous vous rappelez ?

Mr. Morton s'est légèrement détendu. Du moins, jusqu'à ce que je dise :

— Le demi-frère de Will, Marco, y a fait allusion aussi.

Mr. Morton a de nouveau pâli.

— Oui, bien sûr. *Le demi-frère*, a-t-il répété en secouant la tête. Si seulement... si seulement...

Je suis sûre qu'il a alors ajouté :

— Si seulement je l'en avais empêché quand il était encore temps...

— Empêché qui, Mr. Morton ?

Mais je connaissais la réponse. C'était Marco. Il ne pouvait parler que de Marco.

Le problème, c'est que je pensais qu'il l'avait fait. Il avait empêché Marco de le tuer. N'était-ce pas le bruit qui courait ? Que Marco avait tenté de tuer Mr. Morton et que celui-ci l'en avait empêché ?

Que se passait-il ici ? D'accord, je m'étais amusée l'autre soir à me dire que Jennifer était *Guenièvre*, Lance *Lancelot*, Will *Arthur* et Marco *Mordred*...

Mais uniquement parce que... eh bien, parce

que Marco m'avait dit que j'étais Elaine d'Asto-lat. Sans parler du fait qu'on fréquentait tous un lycée qui portait le nom de l'île où le roi Arthur attendait soi-disant de se réveiller. Je ne pensais pas que... que cela pouvait être *réel*.

Car ça ne pouvait pas l'être. Cette histoire – si elle était vraie – s'était passée il y a des centaines d'années. Quand on a des parents historiens, on sait mieux que quiconque que l'histoire se répète.

Mais pas comme *ça*.

Et personne – sauf ceux qui n'ont plus toute leur tête – ne croirait qu'elle puisse se reproduire.

Sauf...

Sauf un membre de l'ordre des Ours, cette secte qui était persuadée que le roi Arthur allait se réincarner un jour pour sortir le monde de l'âge des ténèbres.

Mais Mr. Morton ne pouvait pas faire partie de quelque chose d'aussi ridicule. C'était un *professeur*. Et un bon professeur, d'après ce que j'avais entendu dire. Les profs ne croient pas qu'un roi ayant vécu au Moyen Âge va renaître et sauver le monde.

Tandis que je continuais de me livrer à toutes ces hypothèses, Mr. Morton, lui, continuait de souffrir, affalé sur son bureau. Je ne pouvais pas l'abandonner à son sort. Le pauvre homme avait manifestement besoin d'aide.

— Mr. Morton ? ai-je dit. Vous êtes sûr que vous ne voulez pas que j'aille chercher l'infirmière ? Vous n'avez pas l'air d'aller bien. J'ai peur que... que vous ne soyez malade.

Il a alors fait quelque chose d'étrange. Il m'a regardée et m'a souri. Mais d'un sourire triste.

— Je ne suis pas malade, Elaine, a-t-il répondu. Il n'y a que mon cœur qui souffre.

J'ai attrapé la lanière de mon sac.

— Vous ne voulez pas me dire pourquoi ? Je pourrais peut-être vous aider.

Je ne savais pas comment, bien sûr. Mais je m'étais presque sentie obligée de le lui proposer.

Il a semblé comprendre car il m'a parlé gentiment, plus gentiment qu'il ne l'avait jamais fait jusqu'à présent.

— C'est trop tard, Elaine, a-t-il dit, l'air abattu. Mais merci quand même. Finalement, il vaut mieux que vous ne sachiez rien. De toute façon, votre rôle dans l'histoire était terminé cette fois-ci avant même qu'elle ne commence.

— Que voulez-vous dire ? Quel rôle ? Et quelle histoire ?

La cloche a sonné au même moment.

Mr. Morton a poussé un soupir de lassitude et a ajouté :

— Vous feriez mieux d'aller en cours, Elaine.

— Et Lance ? Vous ne voulez pas qu'on prenne un autre rendez-vous ?

— Non.

Mr. Morton a ramassé son journal et l'a jeté dans la poubelle. Lorsqu'il a repris la parole, il y avait quelque chose d'irrévocable dans sa voix.

— Ça ne sert plus à rien.

Et sur ces paroles, j'ai su que je devais partir.

❧ CHAPITRE 18 ❧

Et en bas, l'étendue vague de la rivière
Comme quelque brave voyant en transe,
Comprenant tout à fait son propre malheur –
Avec une expression transparente
A-t-elle regardé Camelot ?

Je me suis dit que je perdais la tête. Je me suis dit que j'étais ridicule.

Je me suis dit des tas de choses.

Mais je l'ai fait. Au lieu de rejoindre Liz et Stacy dans le réfectoire – elles m'avaient annoncé que mon « initiation » aurait lieu le week-end prochain –, j'ai fait ce que je fais toujours quand je suis perdue : j'ai appelé ma mère.

Au départ, je ne voulais pas. Mais après mon entretien avec Mr. Morton, je me sentais si mal que j'ai eu peur de défaillir.

Votre rôle dans l'histoire était déjà terminé cette fois-ci avant même qu'elle ne commence. La voix de Mr. Morton résonnait dans ma tête. *Mon rôle ? Cette fois-ci ?*

Si seulement je l'en avais empêché quand il était encore temps...

Empêché qui ? Marco ? Empêcher Marco de faire quoi ?

Rien de tout cela n'avait de sens. Ce n'étaient que les délires d'un fou.

Mais quand j'avais regardé Mr. Morton dans les yeux, ce n'est pas la folie que j'y avais vue. C'était le désespoir.

Et la peur.

C'était idiot. Et impossible.

Lorsque la cloche a sonné, je me suis retrouvée devant la cabine téléphonique.

— L'ordre des Ours ? a répété ma mère. Mais de quoi...

— S'il te plaît, maman, l'ai-je coupée. Tu sais de quoi il s'agit. Je l'ai lu dans l'un de tes livres.

— Bien sûr que je sais de quoi il s'agit, a répondu ma mère d'un air amusé. Je suis juste étonnée que tu aies *lu* l'un de mes livres. Tu sembles tellement dégoûtée par tout ce qui concerne le Moyen Âge.

— Je sais, ai-je reconnu en tendant l'oreille à cause du bruit dans le hall. Mais j'ai besoin d'en savoir plus pour un exposé en littérature classique.

— Excuse-moi, chérie, mais je ne trouve pas cela très juste que tu te fasses aider par une spécialiste de la légende arthurienne. Que fais-tu de tes camarades qui n'ont pas de parent à consulter à la maison ?

— Maman ! ai-je presque crié. Contente-toi de répondre à ma question.

— Sur l'ordre des Ours ? Eh bien, c'est un groupe de personnes qui croient que le roi Arthur va renaître un jour et...

— ... nous sortir de l'âge des ténèbres ? ai-je fini à sa place. Je sais. Mais... est-ce qu'ils ne croient pas aussi à des trucs comme les aliens ? C'est quand même une bande de dingues, non ?

— L'ordre des Ours n'est pas une bande de dingues, comme tu dis, Ellie. C'est un groupe d'hommes et de femmes très respectés et très érudits, une organisation d'élites dont il est extrêmement difficile de faire partie. De plus, on a la preuve qu'Arthur a vraiment existé. On peut tout à fait remonter sa lignée. Son père était Uther Pendragon et sa mère Igraine, la femme du duc de Cornouailles. Ce qui, comme tu peux l'imaginer, était un peu compliqué vu qu'elle était la femme d'un homme qui n'était pas le père de son

251

fils avec Uther. Mais Uther a réglé le problème en tuant le duc au cours d'un combat. Il a ensuite épousé Igraine et fait d'Arthur son héritier légitime.

J'ai retenu ma respiration tant ce que venait de me raconter ma mère – tuer un type au cours d'un combat puis épouser ensuite sa femme – me paraissait familier. Sauf, bien sûr, que Jane était la belle-mère de Will et pas sa vraie mère.

— Et Mordred ? ai-je demandé. Et Merlin et la Dame du Lac ? Ils font partie de la légende, eux, n'est-ce pas ?

— En fait, pas du tout, a répondu ma mère. Mordred a vraiment tué Arthur pour lui prendre le trône. Et Merlin devait sans doute être un mystique ou un sage, mais certainement pas un enchanteur. Quant à la Dame du Lac, elle a toujours été entourée de mystère...

— Mais Lancelot ? l'ai-je interrompue. Et Guenièvre ? Ils ont existé ?

— Bien sûr, chérie, bien qu'ils apparaissent plus tard, comparés à d'autres personnages arthuriens, comme Cavall, par exemple, le chien d'Arthur.

J'ai failli lâcher le téléphone.

— Son... chien ?

— Oui, le légendaire chien de chasse d'Arthur, Cavall.

Une fois lancée sur le sujet – qui était, après tout, son sujet préféré –, ma mère ne pouvait plus s'arrêter, et comme beaucoup de professeurs, elle a commencé à me faire un cours.

— On raconte que Cavall avait le pouvoir de lire dans l'esprit des gens...

Cavall. Cavalier.

Non. Non, ce n'était pas possible. Ce n'était tout simplement pas possible.

J'avais la gorge tellement sèche que j'ai eu du mal à demander ensuite :

— Est-ce que.... est-ce qu'Arthur avait un bateau ?

— Évidemment ! Tous les grands héros ont des bateaux. Celui d'Arthur s'appelait le *Prydwyn.* Arthur a vécu maintes aventures en mer...

Tout à coup, ma mère a dû se rappeler qu'elle parlait à sa fille et non à l'une de ses étudiantes en doctorat car elle s'est arrêtée et a dit :

— Ellie ? Tu es sûre que tout va bien ? Tu ne t'es jamais intéressée à cela. Est-ce que mes explications t'ont aidée ? Je peux venir te chercher au lycée, si tu veux. Tu n'as pas oublié que ton père et moi allions dîner chez les Montrose, ce soir. Ça

ne t'ennuie pas de passer la soirée toute seule ?
Ils ont annoncé une grosse tempête à la météo. Tu
sais où sont les lampes torches, en cas de panne
de courant.

Prydwyn. Pride Winn.

Will avait ri en me racontant comment lui était
venu un nom aussi bizarre pour son bateau.
Comme ça, d'un seul coup. Sans qu'il ait besoin
de réfléchir.

Pareil pour le nom de son chien.

Il aimait aussi écouter de la musique médiévale.

Et avait l'impression de me connaître.

D'une autre vie.

— Il faut que je te laisse, maman, ai-je dit.

Et j'ai raccroché, alors même qu'elle me
demandait :

— Quel genre d'exposé dois-tu faire, Ellie ?
Cela me paraît bien compliqué pour...

Sur la tablette de la cabine téléphonique, mes
yeux venaient de se poser sur un annuaire du
comté Anne Arundel.

Je l'ai ouvert.

Non pas parce que je m'attendais à trouver une
réponse. Mais pour m'assurer que je me laissais
pas emporter par mon imagination. Car ça ne
pouvait pas être vrai. Non, ça ne pouvait pas.

C'était n'importe quoi. En même temps, j'avais besoin d'en avoir la preuve.

Je l'ai ouvert aussi pour effacer de ma mémoire l'expression que j'avais vue sur le visage de Mr. Morton – une expression d'effroi quand je lui avais annoncé que Lance sortait avec Jennifer.

Je l'ai ouvert pour sécher mes mains moites.

J'ai tourné les pages jusqu'à la lettre W.

Le A. de A. William Wagner devait signifier quelque chose. Ça ne m'avait jamais traversé l'esprit de lui demander quoi, mais maintenant, je voulais savoir.

En général, quand un garçon se fait appeler par son deuxième prénom, c'est parce que le premier est celui de son père. Le père de Will devait sans doute s'appeler Anthony. Ou Andrew. Et Will ne tenait pas à se faire appeler Andrew parce qu'avoir deux Andrew dans la même famille peut prêter à confusion.

Je l'ai trouvé presque tout de suite.

Wagner Arthur vivait à la même adresse que Will.

Je n'en croyais pas mes yeux.

Arthur. Le vrai nom de Will était Arthur.

Et celui de son chien Cavalier et de son bateau *Pride Winn*.

Quant au nom de son meilleur ami, c'était

Lance. Et celui de sa petite amie – maintenant ex-petite amie – était Jennifer, qui venait de Gue-nièvre.

Pire ! Son père avait épousé la femme d'un homme après que celui-ci avait trouvé la mort, provoquée selon certains par l'amiral Wagner.

J'ai lâché l'annuaire. J'avais besoin de m'agrip-per à quelque chose. Tout ça était ridicule. Il ne s'agissait que de coïncidences, de ressemblances entre la vie de Will et celle de ce roi dont ma mère venait de me parler. Parce que Jane n'était pas la mère biologique de Will, comme Igraine l'était d'Arthur. La mère de Will était morte à sa nais-sance. Will et Marco étaient demi-frères, ils n'avaient aucun lien de sang. Aucun.

Bref, ce que Mr. Morton pensait était faux. Ça n'était pas possible.

J'ai ramassé mon sac à dos et je me suis diri-gée vers les toilettes. Une fois devant les lavabos, j'ai fait couler de l'eau froide et je m'en suis passé sur le visage puis j'ai relevé la tête et je me suis regardée dans le miroir.

À quoi je pensais ? Est-ce que je croyais vrai-ment qu'Arthur – l'ancien roi d'Angleterre, le fondateur de la Table ronde– était de nouveau en vie et habitait *Annapolis ?*

Et est-ce que je pensais que moi, Elaine Harrison, j'étais la Dame de Shallot, une femme qui s'était tuée pour un garçon comme... *Lance ?*

À cette pensée, j'ai eu l'impression qu'on me versait un seau d'eau glacée sur la tête.

Premièrement, il était impossible que je sois la réincarnation d'une gourde telle que cette Elaine.

Et deuxièmement, personne – et pas même un roi légendaire d'Angleterre – ne revient à la vie. Ce genre de choses n'arrive jamais. On vit dans un monde moderne, instruit, où les esprits sont éclairés. On n'a plus besoin de s'inventer des mythes et des histoires pour expliquer ce qu'on ne comprend pas comme autrefois, parce qu'on sait maintenant qu'il y a une explication scientifique à tout.

Will Wagner n'était pas la réincarnation d'Arthur.

Et pourtant...

Si c'était vrai ?

J'ai saisi les bords du lavabo et j'ai regardé mon reflet dans le miroir. Que m'arrivait-il ? Est-ce que j'allais vraiment me mettre à croire à quelque chose d'aussi insensé ? Comment pouvais-je en être réduite à ça ? J'étais quelqu'un de pragmatique. C'était Nancy la romantique. Pas moi. J'étais la fille de deux personnes érudites. Je ne pouvais pas accepter toutes ces élucubrations.

Et pourtant...

J'ai attrapé mon sac. L'instant d'après, je courais vers la salle de Mr. Morton. Il fallait que je lui parle pour découvrir s'il croyait vraiment à cette histoire, comme je le soupçonnais, ou s'il était juste fou, à moins que ce ne soit moi qui sois folle – ou qu'on soit cinglés tous les deux.

Le problème, c'était comment m'y prendre. Est-ce que je devais lui dire que je savais ? Mais qu'est-ce que je savais ? Je ne savais rien...

... sauf que je n'en pouvais plus de ce bourdonnement dans ma tête.

Lorsque je suis arrivée devant sa classe, ce n'est pas lui que j'ai vu au tableau. C'était Mrs. Pavarti, l'adjointe du proviseur.

— Oui ? a-t-elle dit quand elle m'a aperçue.

Dans la classe, toutes les têtes se sont aussitôt tournées vers moi tandis que je me tenais dans l'embrasure de la porte, mon sac à dos contre moi, ma queue-de-cheval défaite, des traces d'eau sur le visage et, à tous les coups, l'air totalement affolée.

— Est-ce que je peux vous aider ? a demandé poliment Mrs. Pavarti.

— Je... je cherche Mr. Morton.

— Mr. Morton est rentré chez lui. Il ne se sentait pas bien. Mais ne devriez-vous pas être en cours ? Ou au réfectoire ? Est-ce que je peux voir votre emploi du temps ?

Je me suis éloignée dans un état de profonde hébétude.

Mr. Morton était parti. Mr. Morton était rentré chez lui.

— Excusez-moi.

Mrs. Pavarti m'avait suivie dans le couloir.

— Mademoiselle, je vous ai posé une question, a-t-elle poursuivi. Pourrais-je voir votre emploi du temps ?

Je ne me suis même pas donné la peine de me retourner et je me suis dirigée vers la sortie.

— Arrêtez-vous !

La voix de Mrs. Pavarti a résonné dans le hall vide du lycée tandis que les membres de l'administration sortaient de leur bureau pour voir ce qui se passait.

— Comment vous appelez-vous ? Mademoiselle ! Je vous défends de partir !

Sauf qu'à ce moment-là, je ne marchais plus vers la sortie. Je courais.

Et je ne me suis arrêtée de courir qu'une fois hors de l'enceinte du lycée. Non que j'aie craint d'être rattrapée par Mrs. Pavarti. Je n'avais tout simplement pas pu m'en empêcher, comme si, en courant assez vite, j'allais découvrir que tout ça n'était pas vrai. J'allais enfin y voir clair, me rendre compte à quel point j'avais été stupide et tout allait redevenir normal.

Mais lorsque j'ai ralenti mon allure, ce n'est pas ce que j'ai pensé. Tout n'allait pas redevenir normal. Non, tout allait empirer plutôt. Parce que, pour la première fois de ma vie, je séchais les cours.

J'avais quitté le lycée sans autorisation.

J'allais me faire attraper.

Mes parents séviraient.

Mais le comble, c'est que je m'en fichais.

CHAPITRE 19

Elle descendit et trouva une barque
Laissée à l'eau au-dessous du saule,
Et à l'angle de la proue elle écrivit :
La Dame de Shallot.

Une demi-heure plus tard, lorsque le taxi s'est arrêté devant l'immeuble et que j'ai donné au chauffeur presque la totalité de ce que j'avais sur moi – huit dollars, ce qui ne me laissait pas grand-chose pour retourner au lycée –, j'étais toujours dans le même état d'esprit : je m'en fichais.

Peu m'importait que je sois dans un quartier d'Annapolis que je ne connaissais pas. Peu m'importait que je ne sache pas comment rentrer chez moi ou que je n'aie pas assez d'argent pour aller où je le souhaitais. Plus rien ne m'importait qu'une chose : je l'avais trouvé – grâce aux renseignements – et j'allais enfin obtenir des réponses qui tiendraient debout.

Du moins, je l'espérais.

Il était chez lui. On entendait la télévision à travers la porte. Mais quand j'ai frappé, il ne m'a pas répondu. Peut-être ne m'avait-il pas entendue ? Ce qui expliquait pourquoi il mettait autant de temps.

Mais quand il m'a enfin ouvert, j'ai compris que ce n'était pas à cause de la télé qu'il avait tardé à ouvrir. C'est parce qu'il avait regardé par le judas pour savoir qui était derrière sa porte.

Et qu'il s'était armé d'une énorme poêle, au cas où il aurait besoin de se défendre.

C'est du moins ce que j'ai pensé quand il l'a abaissée en voyant que j'étais seule.

— Oh, a-t-il fait. C'est vous.

Il ne paraissait pas surpris. Résigné, plutôt.

— Mr. Morton, je...

— Allez-vous-en, a-t-il ajouté. Je suis occupé.

Là-dessus, il a commencé à refermer la porte.

Mais trop tard. Avant qu'il ne me la claque au nez, j'avais glissé mon pied dans l'encadrement.

Je ne sais pas ce qui m'a pris. Jamais je n'avais fait ça – sécher les cours, quitter le lycée sans autorisation, me rendre chez un prof et coincer mon pied dans sa porte pour l'obliger à me recevoir. Non, ce n'était pas moi. Mon cœur battait

262

la chamade et j'avais les mains moites. J'ai même eu peur d'être malade.

Mais je n'avais pas parcouru tout ce chemin pour qu'il me renvoie chez moi. Même si je ne savais pas pourquoi, il fallait que j'aille au bout de ce que j'avais entrepris.

Peut-être parce que j'avais grandi avec deux parents qui connaissent toutes les réponses de *Questions pour un champion* et que, pour une fois, je voulais connaître les réponses à *mes* questions ?

Mr. Morton a baissé les yeux et, quand il a vu mon pied, il a haussé les épaules.

— Puisque vous insistez, a-t-il dit avant de reprendre ce qu'il faisait au moment où j'avais frappé à sa porte : ses valises.

Il y avait des vêtements partout. Mais ce ne sont pas eux qu'il emportait, c'étaient des livres. D'épais livres, comme ceux que mon père rapporte régulièrement de la bibliothèque de l'université. La plupart semblaient très vieux. Comment Mr. Morton pensait-il pouvoir porter une seule de ses valises une fois qu'elle serait pleine ?

Je l'ai regardé. Il faisait le tri dans une pile d'ouvrages qu'il tenait à la main. Certains allaient dans les valises, les autres, par terre. De toute évidence, il ne se souciait guère de ce qu'il laissait derrière lui.

— Que voulez-vous ? a-t-il demandé. Je n'ai pas beaucoup de temps. J'ai un avion à prendre.

— Je vois, ai-je répondu en ramassant un livre à mes pieds.

Le titre n'était pas en anglais, mais je l'ai reconnu parce que mon père avait le même dans sa bibliothèque à Saint Paul. *Le Morte d'Arthur.* La mort d'Arthur. Super.

— Vous avez décidé de partir en voyage bien soudainement, non ? ai-je fait remarquer.

— Je ne pars pas en voyage. Je quitte la ville. Pour ne jamais revenir.

J'ai parcouru la pièce du regard. Elle était peu meublée et apparemment pour trois fois rien.

— Mais pourquoi ?

Mr. Morton s'est tourné vers moi et m'a évaluée d'un simple regard. Puis il est retourné à son tri.

— S'il s'agit de votre note, vous n'avez aucun souci à vous faire. Mon remplaçant, quel qu'il soit, vous mettra certainement A. Votre exposé était très bien construit et rédigé. Vous savez manifestement aligner deux phrases, ce qui échappe à la plupart des petits crétins de ce lycée. Vous vous en sortirez très bien. À présent, laissez-moi. J'ai des tas de choses à régler et il me reste peu de temps.

— Où allez-vous ?

— Tahiti, a répondu Mr. Morton en examinant la tranche d'un livre avant de le ranger dans la valise devant lui.

— Tahiti ? ai-je répété. C'est plutôt loin.

Il a ignoré ma remarque et est allé fermer la porte que j'avais laissée ouverte.

— Je vous l'ai dit, a-t-il déclaré en revenant, d'une voix si basse que je l'entendais à peine pardessus le bruit de la télévision dans l'autre pièce. Votre rôle est terminé. Vous ne pouvez plus rien faire.... plus rien que ce qu'on attend que vous fassiez. Maintenant, soyez gentille, Elaine, retournez en cours.

— Non.

J'ai déplacé une pile de livres sur le canapé et je me suis assise.

Mr. Morton a cligné des yeux, comme s'il se demandait s'il avait bien entendu.

— Pardon ?

— Non, ai-je répété. Je ne retournerai pas en cours.

D'où me venait cette volonté inflexible ? Ça ne me ressemblait pas, même si, intérieurement, je n'en menais pas large. Je n'avais jamais désobéi à un professeur – ou à un adulte, d'ailleurs –, et je n'en revenais pas de trouver en moi toutes ces réserves de courage et de détermination.

— Je ne partirai pas tant que vous ne m'aurez pas expliqué ce qu'il se passe. Pourquoi me dites-vous que « mon rôle est terminé » ? Mon rôle dans *quoi* exactement ? Et pourquoi cherchez-vous à partir d'ici aussi vite ? Que craignez-vous en restant ?

Mr. Morton a lâché un soupir et a dit, d'une voix lasse :

— Je vous en prie, Miss Harrison. Elaine. Je n'ai pas le temps. Je dois prendre l'avion.

Il a attrapé les livres que j'avais écartés du canapé. Pour la première fois, j'ai remarqué que ses mains tremblaient.

Je l'ai regardé droit dans les yeux, sincèrement interloquée.

— Mr. Morton, que se passe-t-il ? Pourquoi avez-vous si peur ? Qu'est-ce que vous fuyez ?

— Miss Harrison !

Il a lâché de nouveau un soupir puis, comme s'il avait réfléchi à quelque chose, il a ajouté :

— Vos parents sont en année sabbatique, n'est-ce pas ? Ils peuvent dans ce cas s'accorder un peu de vacances. Pourquoi ne leur propose-riez-vous pas de faire un petit voyage tous les trois ? Quelque part loin de la côte Est. Et ce serait bien si vous pouviez partir tout de suite.

Son regard s'est porté du côté de la fenêtre : un amas de nuages avait obscurci le soleil de l'après-midi.

— Le plus tôt serait le mieux.

Puis il s'est tourné de nouveau vers ses valises et ses livres.

— Mr. Morton..., ai-je commencé, avec mille précautions. Je suis désolée, mais à mon avis, vous avez besoin de vous faire aider par... par un professionnel de la santé mentale.

Il m'a observée par-dessus la monture de ses lunettes.

— C'est ce que vous pensez ? a-t-il dit, une note d'indignation dans la voix.

Je ne pouvais pas lui en vouloir. Pourtant, même si ce n'était pas à moi de le lui dire, il fallait bien que quelqu'un le fasse. Le pauvre homme perdait complètement la tête. Non qu'il n'ait pas de bonnes raisons, vu la situation, mais quand même.

— Je sais bien que cette histoire avec Will, Lance et Jennifer est assez... troublante, ai-je poursuivi, mais vous êtes professeur. Vous êtes censé vous servir de votre raison et de votre intelligence. Vous ne pouvez tout de même pas accor-

267

der une quelconque légitimité à une croyance selon laquelle le roi Arthur se réincarnerait un jour.

— C'est pour ça que vous êtes venue me voir ? a demandé Mr. Morton. Pour me dire que ce en quoi je crois est ridicule. Vous vous faites du souci pour moi, n'est-ce pas ? Vous avez peur que je ne sois fou ?

Même si, à l'idée de lui répondre, j'étais terriblement gênée, je ne pouvais pas le faire sans être la plus sincère possible.

— Eh bien... oui. Attention, ne vous méprenez pas, je comprends tout à fait comment quelqu'un, même quelqu'un qui n'appartient pas à la secte à laquelle vous appartenez...

Il n'a paru qu'à moitié surpris de découvrir que j'étais au courant du petit groupe d'érudits dont il faisait partie.

— L'ordre des Ours, Miss Harrison, a-t-il déclaré sur un léger ton de reproche, n'est pas une secte. C'est une confrérie.

— Si vous voulez, ai-je concédé. Je comprends tout à fait que quelqu'un comme moi puisse considérer toutes ces coïncidences, l'histoire des parents de Will, son nom, le nom de son chien ou de son bateau, ce qui se passe entre Lance et Jennifer, bref, tout ça, et se dire : « Hé, mais Will est la réincarnation du roi Arthur ! » Mais vous n'êtes pas sans savoir qu'il y a de grosses différences. Par exemple, Jane n'est pas la vraie mère de Will, sa vraie mère est morte. Marco est son demi-frère, Will et lui n'ont ni le même père, ni la même mère. Et je ne suis pas Elaine d'Astolat. Même si j'essayais, jamais je ne pourrais tomber amoureuse de Lance. Vous êtes *professeur*, Mr. Morton. Vous êtes un esprit rationnel. Comment un homme comme vous peut-il croire que le roi Arthur s'est réveillé d'entre les morts ? Ce n'est pas possible ! Sauf... sauf si vous êtes fou.

Mr. Morton a cligné des yeux. Une fois.

Puis il a dit :

— Je n'y « crois » pas, Miss Harrison. Je le *sais*. C'est un fait. Arthur reviendra. Il *est* revenu. Malheureusement...

Son visage s'est assombri.

— Non, a-t-il poursuivi en secouant la tête. Il est préférable que vous ne sachiez rien. Savoir est parfois dangereux. J'aurais préféré ne pas savoir.

— Je ne bougerai pas d'ici tant que vous ne vous serez pas expliqué, ai-je déclaré en croisant les bras.

Mr. Morton m'a observée pendant quelques secondes avant de reprendre la parole.

— Très bien. Vous êtes une fille intelligente

– du moins, vous me sembliez l'être jusqu'à maintenant. Et si je vous disais que l'ordre auquel j'appartiens, l'ordre des Ours, est une société secrète dont la seule fonction est d'empêcher que les forces du Mal n'entravent le retour au pouvoir du roi Arthur ?

— Hum, hum, ai-je fait. Je vous répondrais probablement que je le sais déjà. Et qu'il existe des médicaments qui préviennent ce genre de délires paranoïaques.

— Nous ne nous attendons pas à ce que l'homme se réveille brusquement d'entre les morts, Excalibur à la main, a-t-il répliqué sur un ton acerbe. Nous ne sommes pas aussi stupides, Miss Harrison. À l'instar des moines du Tibet qui parcourent le monde à la recherche du prochain dalaï-lama, les membres de l'ordre des Ours cherchent de potentiels Arthur dans chaque génération.

Il a retiré ses lunettes et, tout en les nettoyant à l'aide de son mouchoir, il a continué :

— Lorsque nous en avons trouvé un qui a de sérieuses chances d'être le roi Arthur, nous envoyons un membre de l'ordre dans sa ville pour l'observer, généralement sous le déguisement d'un professeur, comme moi-même. La plupart du temps, ces garçons nous déçoivent. Mais de temps à autre, comme dans le cas de Will, nous avons des raisons d'espérer...

Il a remis ses lunettes et m'a scrutée de derrière ses verres à présent étincelants.

— Notre rôle consiste alors à empêcher les forces du Mal de détruire les chances du garçon à réaliser son potentiel.

— C'est là où je ne vous suis plus. Les forces du Mal ? Je vous en prie, Mr. Morton. De quoi parlez-vous ? De Dark Vador ? Voldemort ? Épargnez-moi, s'il vous plaît.

— Pensez-vous vraiment que ce qui est arrivé à Lancelot et à la reine n'était qu'une simple aventure ? a demandé Mr. Morton, apparemment choqué par ma naïveté. C'était quelque chose de bien plus insidieux, pas seulement dû à la faiblesse de caractère de l'un ou de l'autre, mais à la puissance des forces opposées à Arthur, qui ch erchaient à le détruire, et à détruire la foi de son peuple en lui. C'est à ce moment-là qu'entre en jeu Mordred, qui est et a toujours été un agent du Mal.

Je l'ai regardé en fronçant les sourcils. J'avoue que j'avais quelques difficultés à assimiler certains des propos qu'il tenait. Bon, d'accord. Tous.

— OK, ai-je tout de même dit.

J'ai dû lui paraître en tout cas suffisamment intéressée car il a poursuivi :

— Vous savez sans doute que Mordred est arrivé trop tard la première fois. L'âge des ténèbres s'est éteint malgré tous ses efforts. Arthur était sur le trône depuis assez longtemps pour sortir son peuple de ces temps obscurs. Et en fin de compte, celui qui a traversé les siècles en laissant le souvenir d'un roi juste et bon, ce n'est pas Mordred, mais son frère Arthur. Cependant cette erreur a servi de leçon à Mordred. Et depuis, chaque fois qu'Arthur a tenté de revenir, Mordred a surgi pour l'arrêter, et il a surgi de plus en plus tôt dans le cycle de la vie afin que la Lumière ait de moins en moins la possibilité de régner. Et cela va continuer ainsi, Elaine, jusqu'à la fin des temps... ou jusqu'à ce que le Bien finisse par triompher du Mal une bonne fois pour toutes et que Mordred repose à jamais.

Je me suis éclairci la gorge.

Le problème, c'est que Mr. Morton semblait plutôt lucide. Il avait même l'air aussi sain d'esprit que... eh bien, que mon père.

Mais ce qu'il racontait et ce en quoi son « ordre » et lui-même croyaient, c'était n'importe quoi. Aucune personne rationnelle ne pouvait croire que Will était la réincarnation du roi Arthur. Ça n'avait aucun sens !

Mais il n'y avait pas que cela qui ne tenait pas debout.

— Je ne comprends pas, ai-je dit tout net. Si vous pensez vraiment que Will est Arthur, et j'insiste bien sur le « si », pourquoi vous enfuyez-vous ? Ne devriez-vous pas rester pour l'aider ? Corrigez-moi si je me trompe, mais n'êtes-vous pas la personne que votre ordre a déléguée ici pour le protéger.

Mr. Morton a paru sincèrement peiné.

— Ça ne sert plus à rien que je reste, m'a-t-il expliqué. À partir du moment où Guenièvre le quitte, Arthur est vulnérable à tout ce que lui réserve Mordred. C'est arrivé maintes et maintes fois, quoi que nous ayons essayé de faire. Avec l'aide des forces du Mal, Mordred prendra le pouvoir, comme il l'a déjà fait sous différentes identités dans le passé. Rappelez-vous les leaders politiques les plus diaboliques de l'histoire, et vous aurez une bonne idée de ce dont je parle. Ils sont tous la réincarnation de Mordred. Et Arthur... eh bien...

— Oui ?

— Eh bien, a repris Mr. Morton, mal à l'aise, Arthur mourra.

CHAPITRE 20

Et à la fin du jour
Elle desserra la chaîne et s'allongea ;
Le courant l'emporta au loin
La Dame de Shallot.

— *Mourra ?*

Je l'ai dévisagé, incrédule.

— Oui, a répondu Mr. Morton qui, enfin, a eu la délicatesse de paraître gêné.

— Mais... il ne peut pas mourir.

— Malheureusement, si. Que pensiez-vous qu'il allait arriver, Elaine ? Pourquoi croyez-vous que je parte ? Vous ne vous attendiez tout de même pas à ce que je reste et assiste à sa fin.

Je l'ai regardé à nouveau dans les yeux. J'avais entendu pas mal de choses totalement délirantes aujourd'hui, mais ça ? Non, c'était trop.

— Vous parlez de Will ? Vous pensez que Will va mourir.

— Il le faut, a dit Mr. Morton, presque sur un ton d'excuse. Pour que Mordred – dans le cas présent, Marco – puisse exercer sa suprématie...

— Vous pensez sincèrement que Marco va attenter à la vie de Will ?

— Je ne le *pense* pas, Miss Harrison. Je le *sais*. Marco me l'a dit lui-même l'an dernier quand j'ai bêtement tenté – contre les consignes de l'ordre, je tiens à le préciser –, de le raisonner. Tout comme vous, j'ai eu moi-même du mal à croire qu'une personne puisse être entièrement mauvaise. Je pensais qu'en parlant avec ce jeune homme je parviendrais à lui faire entendre raison. Je me suis trompé, douloureusement trompé, je pourrais ajouter.

— Vous faites allusion au jour où Marco vous a attaqué et s'est fait renvoyer du lycée ?

— Tout à fait. Je me rends compte maintenant que c'était une erreur fatale de ma part. Mettre Marco au courant de l'existence de l'ordre et du rôle qu'il jouerait dans le prochain cycle de vie d'Arthur ne lui a pas servi, comme je le pensais, de mise en garde contre les forces du Mal. Ça lui a plutôt servi d'excuse pour les rejoindre. « Puisque c'est mon destin, pourquoi irais-je contre ? », voilà ce qu'il m'a rétorqué.

— Vous avez dit à Marco qu'il était la réincarnation de Mordred ?

Pas la peine de chercher comment Marco avait réagi : en éclatant d'un rire moqueur.

Mais avec violence, aussi, apparemment. Contre le porteur du message. Une violence qui n'était peut-être pas imméritée, d'ailleurs.

— J'ai honte, mais oui, je l'ai fait. Cela dit, à l'époque, j'étais persuadé qu'il me croirait. Le fait qu'il ait reconnu en vous Elaine d'Astolat m'a fait penser que tout cela ne lui était pas étranger.

— Je ne suis *pas* Elaine d'Astolat, ai-je corrigé avec le maximum de fermeté possible.

Mr. Morton m'a souri tristement.

— C'est drôle. Marco a dit exactement la même chose, qu'il n'était pas Mordred.

— Et il n'est *pas* Mordred, ai-je répété.

J'étais hors de moi. Cette histoire allait trop loin, beaucoup trop loin.

— Comment pouvez-vous raconter à de jeunes esprits influençables qu'ils sont la réincarnation de héros mythiques ? On devrait vous retirer le droit d'enseigner !

Mr. Morton a agité l'index sous mon nez.

— Elaine, Elaine, voyons. Vous savez très bien qu'ils n'ont rien de mythiques.

J'avais envie de casser quelque chose tellement je n'en revenais pas d'avoir cette conversation.

— Très bien, ai-je dit. Ces personnages ont vraiment existé et admettons que toute cette histoire de réincarnation soit possible. Mais si vous avez mis Marco en garde, pourquoi n'avez-vous pas prévenu Will, dans ce cas ?

— Parce que ça n'aurait servi à rien, a répondu tristement Mr. Morton. Comme je vous l'ai expliqué, il est trop tard. Des membres de l'ordre ont essayé par le passé de prévenir l'Ours de ce qui l'attendait – tout comme j'ai essayé, sans succès, de conduire Marco vers la Lumière –, et cela n'a jamais rien donné, quelle que soit la personne en laquelle il s'était réincarné. La plupart du temps, il ne nous croyait même pas. Et, inévitablement, le Mal se réveillait et finissait par prendre le dessus.

J'ai cligné des yeux.

— Bref, si tout ce que vous dites est vrai, Marco va tuer Will et vous ne pensez pas que ce serait utile d'appeler Will pour le prévenir.

— Non, car encore une fois, il est trop tard, Elaine, a répété Mr. Morton en secouant la tête. Il a déjà perdu Guenièvre. Il n'a plus la volonté de vivre.

— Mais c'est exactement ce que j'ai essayé de

vous dire ce matin ! me suis-je exclamée, à bout de patience. Will n'en veut pas à Jennifer de l'avoir quitté pour Lance. Il m'a même dit qu'il était *soulagé*.

Mr. Morton a eu un sourire triste.

— Croyez-vous sincèrement, Elaine, que si nous le prévenions, il nous croirait, sans parler de se protéger – ce qui, de toute façon, serait un effort inutile ? Croyez-vous sincèrement que cela ferait la moindre différence ? Vous n'avez pas idée de ce contre quoi nous nous battons. La lutte entre la Lumière et les Ténèbres sévit depuis des siècles. Le Mal n'acceptera jamais que la Lumière interfère. Il jettera des obstacles insurmontables sur notre chemin, des obstacles mortels. Mordred trouvera, avec l'aide des forces du Mal, un moyen de tuer son frère quoi que nous...

— Mais Marco ne veut pas tuer Will ! ai-je hurlé. Pourquoi le voudrait-il, d'ailleurs ?

— Parce que, en plus de sa propre cupidité et du mépris qu'il porte à l'égard des autres, il est tombé dans les rets des forces du Mal, a répondu Mr. Morton. Réfléchissez-y, Elaine.

J'ai repensé à Marco, à ses piercings et à ses manières sournoises. Sûr, qu'il était déplaisant et avait de quoi donner la chair de poule.

Mais de là à être un meurtrier ? Bon d'accord,

il avait tenté de tuer Mr. Morton – mais celui-ci venait de lui annoncer qu'il était la réincarnation d'un des personnages les plus détestés de l'histoire de tous les temps. Pourquoi en aurait-il voulu à Will ? N'avait-il pas admis que, depuis qu'il vivait avec Will et l'amiral Wagner, sa vie s'était améliorée ? Il avait même un bateau. Du moins la jouissance. N'était-ce pas ce qu'il avait dit ?

Ce n'est pas moi qui ai de la chance. C'est Will.
Ou était-ce à cause de *ça* ?

— Vous pensez que Marco va attenter à la vie de Will parce qu'il est jaloux de lui ? ai-je demandé. Et parce qu'il en veut au père de Will pour ce qu'il lui a fait ? C'est ça ?

— Il y a dans le cas présent bien plus de choses qui sont en jeu, a déclaré Mr. Morton en hochant la tête, bien plus que vous ne pouvez l'imaginer, mais pourquoi s'en étonner, après tout.

— Parce que c'est différent chaque fois ?

C'est ça qui me retenait de croire tout à fait qu'il ne s'agissait que d'un délire paranoïaque, comme je voulais tellement le penser : le fait que, prise dans son ensemble, cette histoire soit si bien conçue qu'elle finissait par avoir du sens.

— Il y a des variations sur plusieurs thèmes, a répondu Mr. Morton. Mordred détestait Arthur parce qu'il convoitait le trône. Il a tourné le dos à son peuple sans se soucier d'un iota de son bien-être pour ne chercher qu'à assouvir son propre plaisir. C'est à ce moment-là que les forces du Mal ont mis la main sur lui et en ont fait l'un des leurs...

— Arrêtez ! me suis-je écriée en me bouchant les oreilles. Je ne veux plus entendre parler des forces du Mal, OK ? Ce que je veux savoir, c'est comment, si vous êtes tellement sûr que ce que vous prédisez va arriver, vous pouvez envisager de vous enfuir et de laisser Will se faire tuer ! Je comprends que vous ayez peur des... des ténèbres.

Je me mettais maintenant à parler de façon aussi délirante que lui, mais tant pis. Je m'en fichais.

— Mais pour l'amour de Dieu, pourquoi n'al-lez-vous pas à la police ? ai-je ajouté.

— Et leur dire quoi, Elaine ? Que selon une ancienne prophétie qui s'est accomplie maintes et maintes fois, ce jeune homme va tuer son demi-frère un de ces jours et que le monde va courir à sa perte ? Je ne peux pas. Vous savez très bien qu'ils ne m'écouteraient pas.

Non. Ils ne l'écouteraient pas. Même moi, je ne

voulais plus l'écouter. Parce qu'il était complètement fou.

— Et même s'ils le faisaient, a-t-il poursuivi, ils ne pourraient rien. Les revolvers et les matraques sont inutiles face aux forces du Mal. Et je serais coupable de risquer la vie d'innocents dans une guerre qu'ils ne pourraient jamais espérer gagner. La croyance communément admise – bien qu'elle n'ait pas encore été prouvée –, c'est que seuls les proches d'Arthur peuvent empêcher que les forces du Mal n'accèdent au trône.

— Vous voulez parler de..., ai-je commencé en repoussant plusieurs mèches de cheveux de mon visage. De Lance et de Jennifer ?

— Oui. Mais pas vous.

Je l'ai foudroyé du regard.

— Parce qu'Elaine d'Astolat n'a jamais rencontré le roi Arthur, c'est ça ?

— Je vous ai dit qu'il valait mieux que vous ne sachiez rien, m'a rappelé Mr. Morton d'une voix triste.

— De toute façon, je ne vous crois pas. Je refuse de croire à ce que vous racontez.

— Elaine, a repris Mr. Morton plus doucement, rentrez chez vous. Demandez à vos parents de vous emmener quelque part ou retournez dans le Minnesota. Il serait préférable que... que... vous rentriez tout simplement chez vous.

Quelque chose dans sa voix, mais surtout dans sa façon de me conseiller de rentrer chez moi, m'a fait réagir.

Je voulais bien accepter tout le reste. Parler du Mal et du danger qu'il y avait à tenter de contrecarrer ses projets. Parler de Jennifer comme étant la raison de vivre de Will. Et je voulais même bien parler de Tahiti.

Mais ça, jamais.

— Rentrer chez *moi* ? ai-je répété. Savez-vous au moins ce que cela veut dire, chez soi ? Ce n'est pas uniquement un lieu, ce sont des gens aussi... des gens dont on se soucie et qui se soucient de vous... ou qui se soucieraient de vous, si vous ne les abandonniez pas pour Tahiti à cause d'une prophétie à la noix. Je ne sais pas si cette histoire de Lumière et de Ténèbres est vraie, Mr. Morton, mais je sais une chose : si votre ordre et vous-même vous vous souciez vraiment de Will, vous ne le laisseriez pas sans essayer au moins de lui venir en aide. Lui ne ferait pas ça. Lui ne dirait jamais : « C'est comme ça, ça s'est toujours passé ainsi. Je n'ai pas intérêt à changer le cours des choses, j'ai tenté de le faire une fois et ça n'a pas marché. Le côté obscur gagne toujours. »

Ma voix s'est brisée, mais tant pis. Je voulais finir de dire ce que j'avais à dire.

— Car n'est-ce pas ce qui a rendu votre précieux Arthur si populaire la première fois ? ai-je donc poursuivi. Il était ce grand penseur innovateur qui refusait de faire ce que les gens lui disaient sous prétexte que c'était comme ça qu'ils avaient toujours procédé. Si Will est réellement Arthur – et je ne dis pas qu'il l'est, parce que je persiste à penser que tout ça, c'est n'importe quoi –, pensez-vous sincèrement qu'il resterait les bras croisés et déclarerait « Je ne peux rien changer à cela. Personne ne l'a jamais fait » et vous laisserait mourir ? Non, il n'agirait pas de la sorte. Et vous savez quoi, Mr. Morton ? Moi non plus.

Et sur ces paroles, je me suis levée et je suis partie, la tête haute et les épaules en arrière comme si c'était moi, et non Jennifer Gold, qui avais été reine dans une autre vie.

❧ CHAPITRE 21 ❧

Étendue dans sa robe blanche comme neige
Qui flotte légèrement de gauche à droite.
Les feuilles au-dessus d'elle tombent doucement.
Dans les bruits de la nuit,
Elle vogue vers Camelot.

Grâce à mon frère Geoff, qui avait une longue pratique de l'école buissonnière, je savais que l'administration mettait une journée en gros avant de convoquer un élève qui avait séché un cours. Ce qui signifiait que j'étais tranquille jusqu'à la fin de la journée : Ms. Pavarti, l'adjointe du principal, ne demanderait pas à me voir avant demain pour lui expliquer mon absence.

Mais je me suis quand même cachée dans les toilettes jusqu'à la sonnerie au lieu d'errer dans les couloirs. C'était plus prudent.

La première chose que j'allais devoir faire, c'était trouver Will, sauf que je ne connaissais pas son emploi du temps. Du coup, je ne savais pas dans quelle salle il était. Il fallait pourtant que je lui mette la main dessus pour lui annoncer qu'un prof le soupçonnait d'être la réincarnation d'un ancien roi médiéval et qu'il devait se méfier de son demi-frère.

Mr. Morton avait raison sur un point : jamais Will ne me croirait. Il fallait avoir l'esprit dérangé pour croire en ces balivernes.

Mais ce n'était pas pour autant qu'il n'avait pas le droit de savoir.

J'étais occupée à me recoiffer devant les miroirs au-dessus des lavabos quand je me suis rendu compte que je n'étais pas seule dans les toilettes. Quelqu'un reniflait dans l'une des cabines derrière moi. Je me suis penchée pour regarder sous la porte et j'ai vu une paire de chaussures d'aérobic blanches sur lesquelles figurait l'insigne bleu et doré des pompom girls d'Avalon High.

Il ne m'a pas fallu longtemps pour deviner à qui elles appartenaient.

— Jennifer ? ai-je appelé en frappant à la porte. C'est moi, Ellie ? Ça va ?

Jennifer a reniflé une nouvelle fois puis, d'une voix gutturale, elle a répondu :

— Fiche-moi la paix.

— Allez, Jennifer. Ouvre et parlons un peu. Ça ne peut pas être si terrible que ça.

Il y a eu une pause et j'ai entendu ensuite le bruit du verrou qui coulissait. Jennifer est sortie un instant plus tard, jolie comme un cœur, malgré son rimmel qui coulait. Elle s'est essuyé les yeux sur la manche de son sweater et, le regard suppliant, elle a dit :

— Ne raconte à personne que tu m'as vue pleurer, et surtout pas à toutes ces commères de l'équipe d'athlétisme avec qui tu traînes, tu m'entends ? Elles me détestent déjà assez comme ça, ce n'est pas la peine d'en rajouter.

— Je n'en parlerai à personne, ai-je répondu en attrapant une serviette en papier au distributeur avant de l'humecter et de la lui tendre. Elles ne te détestent pas, ai-je ajouté.

Jennifer s'est tamponné les yeux.

— Tu plaisantes ? a-t-elle dit. Tout le monde me déteste à cause de ce que j'ai fait à Will.

— C'est faux. *Je* ne te déteste pas. Et Will non plus, d'ailleurs.

— Je sais ! s'est-elle écriée en éclatant de nouveau en sanglots. C'est bien ça, le pire. Il est venu me voir ce matin et il était adorable. Il m'a dit qu'il savait que Lance et moi, on n'avait pas l'intention de le blesser et que ça ne le gênait pas du tout qu'on soit ensemble. Il a même dit qu'on formait un joli couple. Lance et moi ! Mon Dieu ! J'avais tellement honte !

— Pourquoi ? ai-je demandé en lui tapotant doucement le bras (pour la consoler, j'imagine). Tu ne le crois pas ?

— Bien sûr que je le crois ! a-t-elle répliqué avec un rire incrédule. S'il y a bien un truc de sûr avec Will, c'est qu'il ne ment jamais, pas même pour te rassurer. Enfin, si tu étais très malade, peut-être qu'il te dirait que tu as l'air en super forme, mais sinon, il ne ment pas. Du coup, je savais qu'il disait la vérité. Il ne nous en veut pas, à Lance et à moi. Il est tellement... adorable.

Mon cœur s'est serré. Non, c'était idiot de ma part. Et égoïste.

— Tu... tu veux te remettre avec lui ? ai-je demandé en m'efforçant d'adopter un ton léger.

— Je ne sais pas, a avoué Jennifer. Une partie de moi l'aime toujours, mais l'autre... Tu crois qu'on peut aimer deux garçons à la fois ?

J'ai haussé les épaules d'un air impuissant.

— C'est difficile pour moi de te répondre. Je n'ai été amoureuse qu'une seule fois...

— De Will, c'est ça ? a demandé Jennifer tout en essuyant ses yeux.

Je l'ai dévisagée, sous le choc.

— Quoi ? Non ! Bien sûr que non ! Je parlais d'un autre garçon. Il s'appelait Tommy et...

— C'est bon, a fait Jennifer.

Elle avait arrêté de pleurer et sortait sa trousse de maquillage de son sac.

— Je ne t'en veux pas. Et puis, vous êtes tellement mignons ensemble. Vous avez tous les deux les cheveux noirs et vous êtes si grands.

J'ai cru que j'allais étouffer.

— Je n'éprouve pas de... sentiments amoureux pour Will.

— Ah bon ?

Elle a pincé les lèvres puis s'est mis du gloss.

— Pourtant, il t'aime bien, a-t-elle continué. Et depuis le premier jour où il t'a vue, tu te souviens, dans le parc ? Comme s'il te connaissait déjà d'une autre vie.

J'ai souri avec regret. Car si Mr. Morton disait vrai – ce qui ne pouvait pas être le cas, bien sûr –, ce n'était pas moi que Will avait connue dans une autre vie. L'honneur en revenait entièrement à Jennifer.

— Tu te trompes, il m'apprécie seulement comme une amie, ai-je dit.

— Je n'en suis pas aussi sûre que toi, a rétorqué Jennifer. Il t'a invitée à venir faire du bateau avec nous, et il n'invite pas n'importe qui, d'habitude. Et il dit que son idiot de chien t'aime beaucoup. Sans compter qu'avec toi, il peut *parler*, paraît-il. Will éprouve depuis quelque temps le besoin de parler. Il... il a changé.

Elle m'a jeté un coup d'œil lourd de sous-entendus.

Mais je n'avais pas la moindre idée de ce à quoi elle faisait allusion.

— Changé comment ?

— Au début, quand on a commencé à sortir ensemble, il ne s'intéressait qu'à la voile et au football. Mais lorsqu'il a été nommé délégué, il s'est mis à parler de politique. Tu imagines, de politique ! s'est-elle écriée avec une moue de dégoût. Cet été, il envisageait même d'arrêter l'entraînement pour avoir plus de temps à consacrer à sa fonction de délégué. Heureusement, Lance a réussi à l'en dissuader. En attendant, j'avais de plus en plus l'impression d'avoir affaire à quelqu'un que je ne connaissais pas. Tu sais quoi ? C'est ça que j'apprécie le plus chez Lance, a-t-elle poursuivi en refermant sa trousse de maquillage d'un coup sec. Il n'est pas du genre à parler tout le temps, comme Will. Je te jure ! Parfois, il préférait même parler que... tu vois ce que je veux dire.

Oui, je voyais. Je voyais même tellement bien que je n'ai pas pu m'empêcher de rougir.

— Ce serait génial si Will et toi vous sortiez ensemble, a repris Jennifer, le regard brillant. Comme ça, on me ficherait la paix à cause de cette histoire avec Lance. Parce que même si Will est devenu bizarre depuis qu'il s'est mis à s'asseoir tout seul dans les bois et à vouloir arrêter le football, il est encore très populaire. Réfléchis-y, d'accord ?

Elle a rejeté ses cheveux en arrière puis s'est tournée vers moi.

— Qu'est-ce que tu en penses ? a-t-elle demandé. Ça se voit que j'ai pleuré ?

Je l'ai regardée. Et mon cœur s'est serré.

Parce qu'elle était magnifique. Même après avoir pleuré. Jamais je ne pourrais rivaliser avec une fille comme elle, quoi qu'elle en dise.

Et pas seulement parce qu'elle était super jolie. Si ç'avait été le cas, j'aurais pu la détester, et sans culpabiliser.

Mais il était impossible de la détester, parce qu'au fond Jennifer était une fille bien. Et quand elle avait laissé entendre que le garçon qu'elle aimait encore un peu était attiré par moi et qu'on devrait sortir ensemble tous les deux, elle parlait sincèrement.

Comment ne peut-on pas aimer quelqu'un comme ça ?

— Tu es superbe, ai-je déclaré.

— Merci. Tu gardes tout ça pour toi, hein ?

— Promis.

— C'est curieux, a-t-elle continué tout en sortant des toilettes, mais je te crois. Pourtant, on se connaît à peine. Mais tu dois faire partie de ces gens qu'on a l'impression d'avoir déjà rencontrés alors que non. Comme... Will, a-t-elle ajouté gaiement tandis qu'on s'engageait dans le couloir.

Je m'apprêtais à répondre que ce n'était pas tout à fait le cas mais les mots sont restés dans ma gorge. Car, au même moment, la voix de Mr. Morton m'est parvenue juste derrière nous.

CHAPITRE 22

On entendit une chanson, mélancolique, sacrée,
Chantée fort, chantée humblement,
Jusqu'à ce que son sang gèle lentement,
Et que ses yeux soient complètement voilés,
Tournés vers l'imposant Camelot.

Je me suis retournée à temps pour voir Mr. Morton se diriger vers le bureau de la conseillère pédagogique. Une femme élancée l'accompagnait. Je ne sais pas pourquoi, mais, de dos, elle me faisait penser à la mère de Will.

J'avais vu juste. Quelques secondes plus tard, j'ai entendu Mr. Morton dire, avec son accent typiquement anglais :

— Par ici, Mrs. Wagner.

Qu'est-ce que fabriquait Mr. Morton ici au lycée ? Ne devait-il pas être dans son avion pour Tahiti ?

Et pourquoi était-il en compagnie de Mrs. Wagner ?

Ce n'était pas bon signe. Pas du tout, même.

— À tout à l'heure ! ai-je lancé à Jennifer qui avait continué d'avancer sans se rendre compte de rien.

— Oh, a-t-elle fait en me jetant un coup d'œil par-dessus l'épaule. OK !

J'ai aussitôt fait demi-tour et j'ai couru après Mr. Morton. Au moment où j'arrivais, il ouvrait la porte vitrée du bureau de la conseillère péda-gogique.

— Je vous en prie, disait-il à Mrs. Wagner. Je vais voir si la salle de réunion est libre.

— Mr. Morton ! ai-je appelé.

Mrs. Wagner s'est retournée et m'a souri.

Incroyable ! Bien que Will ait invité au moins une cinquantaine de personnes, elle semblait me reconnaître.

— Bonjour. Je suis désolée, mais j'ai bien peur d'avoir oublié votre nom.

— Ellie Harrison, ai-je répondu précipitam-ment. Mr. Morton, est-ce que je peux vous voir... en privé ?

— Non, Miss Harrison. C'est impossible. Comme vous pouvez le constater, je suis occupé. Mrs. Wagner, si vous voulez bien entrer et vous asseoir, je suis sûr que Mrs. Klopper (la secrétaire s'est aussitôt levée) vous offrira un café en attendant que votre beau-fils arrive.

— Quoi ?

J'ai dévisagé Mr. Morton qui me faisait signe de m'en aller de manière pas très subtile, je dois dire.

— Vous avez rendez-vous avec Will *et* Mrs. Wagner ?

— Oui, Miss Harrison, j'ai rendez-vous avec Will et Mrs. Wagner si vous n'y voyez pas d'inconvénient. Nous avons des choses importantes à éclaircir concernant Will. N'êtes-vous pas censée être en cours en ce moment ?

Des choses importantes à éclaircir concernant Will ? Je n'allais certainement pas manquer ça ! Je me suis alors assise sur le canapé de la salle d'attente et j'ai attrapé un exemplaire de *National Geographic*.

— En fait, j'ai rendez-vous moi aussi. Avec la conseillère pédagogique.

Mrs. Klopper, qui était revenue de la machine à café avec deux tasses, m'a regardée d'un air étonné.

— Je n'ai pas votre nom sur l'agenda, a-t-elle dit. Et Mrs. Enright vient de partir.

— J'ai besoin d'un conseil, ai-je expliqué en prenant un air embêté. Pour quelque chose de personnel. C'est assez urgent.

Mrs. Klopper a aussitôt hoché la tête. Ça marchait.

— Je comprends, a-t-elle dit avec sollicitude. Je vais voir si je peux trouver quelqu'un avec qui vous pourrez parler.

Sur ces paroles, elle a tendu à Mr. Morton les deux tasses de café et est retournée à son bureau où elle a passé plusieurs coups de fil à la recherche d'un conseiller ou d'une conseillère qui pourrait me venir en aide.

Mr. Morton en a profité pour me dire tout bas :

— Je ne serais pas ici si vous ne m'aviez pas fait culpabiliser. Aussi, la moindre des choses, ce serait que vous ne compliquiez pas la situation.

— Et comment je la compliquerais ? ai-je répliqué. Je...

Mais je n'ai pas eu le temps de finir ma phrase : Will se tenait dans l'embrasure de la porte.

— Quelqu'un veut me voir ? a-t-il demandé. (Puis, apercevant sa belle-mère dans la salle de réunion, il a ajouté, dérouté :) Jane est là ? Mr. Morton, que se passe-t-il ?

— Rien de grave, jeune homme, a répondu Mr. Morton (ce qui était le moins qu'on puisse dire). Venez. Je voudrais juste éclaircir deux, trois petites choses entre vous et votre... euh... Mrs. Wagner.

Will est passé devant moi et m'a regardée en haussant les sourcils. *Que se passe-t-il ?* m'a-t-il demandé en silence.

Je ne sais pas, ai-je articulé de derrière les pages de mon magazine. Car je ne savais vraiment pas ce qui se passait. Notamment, en ce qui concernait la présence de la belle-mère de Will.

Will m'a souri, l'air un peu perplexe, puis il est entré dans la salle de réunion. Après un dernier signe d'avertissement à mon égard, Mr. Morton est entré à son tour et a refermé la porte. Comme il ne s'était cependant pas donné la peine d'abaisser les stores, j'ai pu le voir approcher une chaise pour Will et s'asseoir ensuite. Puis, il a commencé à parler.

Je n'entendais rien. Je ne voyais que le visage de Mrs. Wagner – Will, lui, me tournait le dos –, et je l'ai vu passer de l'inquiétude polie à une mimique de défense en l'espace de quelques minutes.

Qu'est-ce que Mr. Morton pouvait bien lui raconter ?

— Euh..., a fait Mrs. Klopper pour détourner mon attention de la scène qui se déroulait de l'autre côté de la paroi vitrée. Ellie, c'est ça ? J'ai bien peur que personne ne puisse vous recevoir maintenant, mais Mrs. Enright ne devrait pas tarder. Elle sera là dans une dizaine de minutes. Ce n'est pas trop long ?

— Non, non, ai-je répondu en faisant mine d'être plongée dans la lecture de *National Geographic*.

Je n'ai pas eu besoin de cogiter longtemps pour interpréter ce que j'ai alors vu : Mrs. Wagner a brusquement porté une main à la bouche, choquée par ce que venait de dire Mr. Morton. Puis elle a éclaté en sanglots avant de hocher la tête à plusieurs reprises et de tendre la main vers Will.

De son côté, Will s'est vivement écarté pour éviter tout contact avec sa belle-mère, puis s'est levé et éloigné de la table. Il me tournait toujours le dos, mais je voyais qu'il secouait la tête.

Que se passait-il ? Mr. Morton venait-il d'annoncer à Will qu'il était la réincarnation du roi Arthur ? Will n'aurait pas bondi ni secoué la tête comme ça. Il aurait éclaté de rire. Qu'est-ce que Mr. Morton avait dit pour le bouleverser à ce point et faire pleurer Mrs. Wagner ?

— Vous n'avez pas le droit d'entrer !

Au son de la voix de Mrs. Klopper, j'ai détourné le regard, mais seulement parce qu'elle me semblait affolée et que je pensais qu'elle s'adressait à moi.

Mais Mrs. Klopper ne s'adressait pas à moi.

Elle parlait au garçon qui, sans que je m'en aperçoive, était entré dans la salle d'attente et fixait les trois personnes de l'autre côté de la paroi vitrée, comme s'il était seul.

— Marco ! me suis-je exclamée en me levant brusquement.

Mais il ne m'a pas entendue. Les clés de sa voiture dans une main, il respirait bruyamment et dévisageait sa mère et son demi-frère, ses yeux sombres remplis d'un sentiment qui ne laissait rien présager de bon.

— Vous n'avez pas le droit de vous trouver dans l'enceinte de l'établissement, a répété Mrs. Klopper d'une voix tremblante de peur tout en tapant sur plusieurs boutons de son standard téléphonique. Pas après ce qui s'est passé. Si vous ne partez pas tout de suite, j'appelle la police.

Mais Marco n'est pas parti. À la place, il a marché en direction de la salle de réunion.

Je ne sais pas ce qui m'a poussée à faire ce que j'ai fait. D'ordinaire, je ne suis pas quelqu'un de très courageux... sauf peut-être quand je suis face à un serpent. Et Marco n'avait rien de reptilien à ce moment-là. Ou plutôt si, il était comme un serpent, mais pas de l'espèce qu'on trouve, à moitié noyée, dans le filtre de sa piscine ; il évoquait plutôt ceux qui s'enroulent à vos pieds, prêts à planter leurs crochets venimeux dans votre chair.

Pourtant, cela ne m'a pas empêchée de m'interposer entre lui et la porte de la salle de réunion... juste au moment où Mr. Morton relevait la tête et remarquait pour la première fois sa présence.

— Marco ! ai-je lancé, faussement désinvolte.

Marco ne m'a même pas adressé un regard. Ses yeux étaient fixés sur Will.

— Pousse-toi, Ellie.

— Je ne crois pas que tu aies le droit d'être ici, ai-je continué en jetant des coups d'œil inquiets par-dessus mon épaule en direction de Will et de Mrs. Wagner.

Ayant reconnu Marco à travers ses larmes, celle-ci tentait de se sécher les yeux. Will, lui, avait l'air sonné.

— Mrs. Klopper a appelé la police, ai-je dit à l'attention de Marco. Tu ferais mieux de partir.

— Non, a répliqué Marco. Je veux savoir de quoi ils parlent.

— À mon avis, ça ne te regarde pas. C'est entre Will et ta mère.

— Et Morton ?

Marco s'est alors enfin tourné vers moi, un sourire sarcastique aux lèvres.

— Qu'est-ce qu'il a à dire à *ma* mère ?

— Ça ne te regarde pas, Marco, ai-je répété en priant pour que ce ne soit pas ce à quoi, je suis sûre, on pensait tous les deux – à savoir que Mr. Morton avait annoncé à Will qu'il était la réincarnation du roi Arthur.

— Si, ça me regarde ! a lâché Marco. Maintenant, dégage. Sinon, c'est moi qui te fais dégager.

— Si tu lèves la main sur cette fille, Marco Campbell, tu le regretteras, a menacé Mrs. Klopper. Tu n'as pas le droit d'être ici.

À ce moment-là, sans doute las d'entendre pour la troisième fois le même interdit, Marco m'a violemment poussée sur le côté, comme si j'étais un vulgaire rideau de douche qui le gênait.

Je suis tombée heureusement sur le canapé. Mais Mrs. Klopper s'est mise à hurler et s'est précipitée vers moi. Will, qui avait apparemment suivi la scène, a ouvert la porte de la salle de réunion et a hurlé à son tour :

— Marco ! À quoi est-ce que tu joues ?

— Très drôle, a répondu froidement Marco. J'allais te poser la même question.

Là-dessus, il l'a rejoint à grands pas et a claqué la porte derrière lui si violemment que les murs en ont tremblé.

— Oh, ma pauvre petite ! s'est écriée

Mrs. Klopper en m'aidant à me relever. Est-ce qu'il vous a fait mal ?

— Non, ça va.

Comme elle se tenait au-dessus de moi et me bouchait la vue, j'ai dû me pencher par-dessus ses larges épaules pour voir ce qui se passait dans la salle de réunion. Marco paraissait très agité. Mr. Morton tentait de le calmer, tandis que Mrs. Wagner, qui avait cessé de pleurer, lui parlait. D'après la tête de Marco, il n'avait pas l'air ravi du tout. Il n'arrêtait pas de jeter des coups d'œil à Will, lequel semblait passer par toutes sortes d'émotions conflictuelles, comme la colère ou l'incrédulité, pour finir par manifester un mouvement d'impatience à quelque chose qu'a dit Marco.

Quelque chose qui ne nous a pas échappé, à Mrs. Klopper et à moi-même, car Marco l'avait crié suffisamment fort pour qu'on l'entende à travers l'épaisse paroi vitrée :

— Ce n'est pas vrai !

Les policiers sont arrivés au même moment. Ils ont fait irruption dans la salle d'attente et Mrs. Klopper, qui se tenait toujours au-dessus de moi dans une attitude protectrice, a lancé en pointant une main accusatrice en direction de Marco :

— C'est lui ! Il a attaqué cette pauvre fille ! Il est en infraction, il n'a pas le droit de se trouver dans l'enceinte du lycée !

L'un des policiers a alors sorti sa matraque.

— Je connais ce gamin. Appelle du renfort, a-t-il dit à son collègue.

Tandis que ce dernier parlait dans son talkie-walkie, il s'est approché de la salle de réunion et a ouvert la porte d'un coup alors que Marco, qui nous tournait le dos et donc ignorait tout de la présence des policiers, hurlait :

— Tu n'es pas sa mère ! Dis-lui ! Dis-lui que c'est faux !

— Je ne peux pas, chéri, répondait Mrs. Wagner. Pardonne-moi, mais c'est la vérité.

— Désolé de vous interrompre en un moment pareil, a déclaré le policier en s'avançant, mais on a reçu une plainte...

Il n'a jamais eu le temps de finir sa phrase. Marco a aussitôt virevolté et, comprenant enfin qu'il allait avoir de sérieux ennuis, a grimpé sur la table de réunion puis, après avoir attrapé une chaise qu'il a lancée contre la fenêtre, il a sauté.

CHAPITRE 23

Car avant qu'elle atteigne avec le courant
La première maison au bord de l'eau,
Pour y chanter sa chanson, elle mourut,
La Dame de Shallot.

— C'est ici, ai-je dit au policier qui me rac-compagnait en voiture.

Bien que ce soit encore la fin de l'après-midi, de lourds nuages gris s'étaient amoncelés au-des-sus de la baie, masquant le soleil et se déplaçant aussi vite que la fumée portée par la brise. Ce que j'avais pris pour les tirs d'artillerie de l'École navale était en fait le tonnerre.

Un orage se préparait.

— Les lumières sont toutes éteintes, a déclaré l'officier Jenkins en s'approchant de la maison. Vos parents ne sont pas là ?

— Non, il sont sortis. Ils avaient un dîner à Washington.

Le vent qui soufflait par rafales agitait les branches des arbres.

— Vous voulez que je vous accompagne jusqu'à votre porte ?

— Non, ça va aller. Ne vous inquiétez pas.

J'avais l'impression d'avoir répété la même chose à toutes les personnes que j'avais vues au cours de ces dernières heures – entre le moment où les policiers étaient arrivés jusqu'à ce qu'ils prennent ma déposition et acceptent de me laisser partir... plutôt qu'ils acceptent de me raccompagner quand je m'étais rendu compte que je n'avais aucun moyen de rentrer chez moi.

Avec Mrs. Wagner qui avait fini par avoir une crise de nerfs, obligeant Mr. Morton à jouer aux chevaliers servants en la raccompagnant en voiture chez elle, et Will qui avait suivi Marco par le même chemin, c'est-à-dire en sautant à son tour par la fenêtre, on était les deux seules, Mrs. Klopper et moi, à pouvoir expliquer à la police ce qui s'était passé.

— Je n'aime pas colporter des commérages concernant les élèves, avait déclaré Mrs. Klopper à l'officier Jenkins, après le départ de Mrs. Wagner, mais puisque vous me posez la question, il semble que... mais je peux peut-être me tromper, évidemment... bref, il semble que la belle-mère de

Will Wagner soit en fait sa vraie mère, et que ni lui ni son... eh bien, son demi-frère, Marco, ne l'ait su jusqu'à aujourd'hui.

Lorsque le policier m'avait consultée d'un air interrogateur, je m'étais contentée de hausser les épaules.

— Oui..., c'est ce que j'ai cru comprendre, ai-je dit.

Ce que je ne parvenais toujours pas à comprendre, en revanche, c'est pourquoi Mr. Morton avait fait ça. Pourquoi était-il revenu ? Était-ce vraiment à cause de la culpabilité, parce que je lui avais dit que Will, lui, ne l'aurait jamais abandonné dans l'adversité ?

Mais en quoi surtout le fait de faire admettre à Mrs. Wagner la vérité – qu'elle était la mère biologique de Will et non sa belle-mère – était-il censé aider Will ?

— Pensez à vous munir d'une lampe torche dès que vous serez à l'intérieur, comme ça, vous n'aurez pas besoin d'en chercher une en cas de panne de courant, m'a conseillé l'officier Jenkins. Il y en a quand la tempête gronde.

— Merci.

— Et ne vous inquiétez pas au sujet de Campbell. Ça m'étonnerait qu'il rôde dans les parages.

J'ai de nouveau remercié l'officier Jenkins en

me gardant bien de lui répondre que la présence de Marco chez moi, ce soir, était le cadet de mes soucis.

Puis je suis descendue de la voiture et j'ai couru jusqu'à la porte. L'officier Jenkins a attendu que je trouve mes clés au fond de mon sac et que j'ouvre pour démarrer, me laissant seule dans cette grande maison plongée dans l'obscurité, la tempête qui menaçait et les forces du Bien et du Mal qui se disputaient le destin d'un roi mort depuis longtemps.

Je suis entrée et j'ai allumé toutes les lumières avant d'aller chercher une lampe torche et plusieurs bougies dans la buanderie. Puis je suis retournée dans la cuisine et j'ai mis la télévision en marche.

Les informations régionales annonçaient un avis de tempête sur tout le comté d'Anne Arundel. On avait déjà signalé des vents violents, des pluies torrentielles et de la grêle.

Super.

Ma mère m'avait laissé un petit mot sur le frigo.

Ma chérie,

Il reste des travers de porc au frigo. Réchauffe-les au micro-ondes. On sera de retour vers 11 heures. Appelle-moi si tu veux. Maman.

J'ai ouvert le frigo et j'ai cherché les travers de porc. Mais je ne les ai pas vus. À la place, je voyais la colère sur le visage de Marco quand sa mère avait confessé son terrible mensonge. Je voyais Will qui sautait par la fenêtre à la suite de Marco, faisant bondir mon cœur dans ma poitrine.

Bon d'accord, il n'avait sauté que du premier étage et lorsqu'on s'était précipités à la fenêtre, ils couraient déjà sur le parking du lycée, Marco en premier, Will juste derrière.

J'avais alors jeté un coup d'œil à Mr. Morton. Son visage exprimait la peur. Fou ou pas, il craignait manifestement pour la vie de Will.

Et sa peur me gagnait.

J'ai refermé le frigo. C'était totalement idiot. Je n'allais tout de même pas rester ici à me tourner les pouces pendant que Will était je ne sais où en compagnie d'un déséquilibré qui venait d'apprendre que sa mère avait été infidèle à son père.

J'ai pris une profonde inspiration, j'ai décroché le téléphone et j'ai composé le numéro du portable de Will.

— On verra bien, ai-je dit à Tig qui faisait sa toilette au milieu de la cuisine.

Une voix préenregistrée m'a annoncé que toutes les lignes étaient occupées.

J'ai grimacé et j'ai raccroché. Au moins, j'avais essayé.

J'ai rouvert le frigo et j'ai sorti cette fois les travers de porc. Je n'avais pas faim mais il fallait que je m'occupe, sinon j'allais devenir folle. Alors que je mettais le plat dans le micro-ondes, un éclair a brusquement éclairé le jardin.

L'espace de quelques secondes, le courant a vacillé puis il s'est stabilisé. Tig, surpris, a cessé de se lécher.

J'ai compté, comme dans *Poltergeist.* Un. Deux. Trois. Quatre. Cinq.

Le tonnerre a grondé. Cela n'avait plus rien à voir avec un tir d'artillerie lointain. On aurait plutôt dit une détonation supersonique, venant d'un avion de chasse quand il passe le mur du son. Tig a aussitôt filé de la cuisine pour aller se réfugier ailleurs dans la maison.

L'orage était à cinq kilomètres environ.

J'ai tenté de nouveau de joindre Will, sans succès.

J'ai reposé le téléphone. C'était peut-être nos lignes à nous qui étaient occupées. Will essayait peut-être de m'appeler, en ce moment même ? Après ce qui lui était arrivé aujourd'hui, il avait sans doute besoin de parler à quelqu'un – quelqu'un qui n'avait aucun lien avec sa famille. En

310

vérité, ça m'étonnait même qu'il n'ait pas déjà téléphoné.

Mais le répondeur indiquait zéro message.

En même temps, il était tout à fait possible qu'il ait préféré la compagnie de Lance ou de Jennifer à la mienne. Après tout, ils le connaissaient depuis plus longtemps que moi. C'était même normal qu'il appelle l'un ou l'autre avant moi...

Une partie de moi l'aime toujours, m'avait confié Jennifer dans les toilettes. Peut-être était-il au téléphone avec elle en ce moment, peut-être s'étaient-ils réconciliés et remis ensemble. Peut-être...

J'ai secoué la tête. Mais qu'est-ce qui n'allait pas chez moi ? Je déraillais complètement.

Je me suis assise devant la télévision avec les restes de travers de porc et une salade de pommes de terre, et j'ai commencé à manger machinalement tandis que le présentateur dressait la liste des manifestations annulées ou des lieux fermés à cause de l'imminence de la tempête : matchs de football, tournois, fêtes, régates, etc.

Un journaliste de Baltimore, où soufflaient déjà des vents d'une violence incroyable, se tenait près d'une voiture écrasée par un arbre que la foudre avait abattu, et invitait la population à ne pas circuler par un temps pareil.

Un autre journaliste annonçait, lui, la fermeture de Beltway, l'autoroute que mes parents devaient prendre pour rentrer ce soir, tandis qu'un troisième déclarait qu'il s'agissait de la tempête du siècle et montrait des images des flots déchaînés.

Je comprenais maintenant bien mieux Mr. Morton et son envie de partir pour Tahiti.

Ce qui était stupide, évidemment. Ce n'était pas les forces du Mal qui étaient responsables de cette tempête. Les météorologues parlaient de la rencontre entre des fronts froids venant du nord-est et des fronts chauds.

Un nouvel éclair a illuminé le ciel. J'ai regardé par la fenêtre. Il était rouge sang et non blanc, comme c'est le cas quand la foudre tonne, puis il s'est brusquement obscurci.

Toutes les lumières se sont alors éteintes.

La télévision s'est arrêtée, puis l'air conditionné, l'horloge digitale du four, le moteur du réfrigérateur.

Un profond silence a suivi... jusqu'à ce qu'un coup de tonnerre fracassant ne fasse vibrer les verres en cristal sur les étagères.

Sa violence était telle que lorsque le téléphone a sonné, j'ai tout bêtement hurlé.

J'étais ridicule. Ce n'était que le téléphone !

Bien sûr que le téléphone continuait de marcher, même quand il y avait des coupures de courant.

Pourtant, je n'avais pu empêcher mon cœur de cogner dans ma poitrine aussi fort, semble-t-il, que les verres qui s'étaient entrechoqués, et mes mains de trembler quand j'avais décroché le combiné.

— A-allô ?

— Ellie ?

C'était ma mère. Au seul son de sa voix, mon pouls s'est calmé.

— On vient d'apprendre que Anne Arundel allait se trouver en plein cœur de la tempête et je voulais m'assurer que tout allait bien.

— L'électricité est coupée, ai-je répondu en m'efforçant de ne pas paraître aussi inquiète que je l'étais en réalité.

— Oui, ça arrive. Cherche dans l'annuaire le numéro de l'agence qui s'en occupe et appelle-les pour savoir s'il s'agit d'une panne générale ou si c'est seulement notre secteur. On ne va pas tarder, ton père et moi. On a annulé notre dîner.

— Non, non, vous ne pouvez pas rentrer ! Ils ont fermé l'autoroute. Une ligne à haute tension s'est abattue sur la barrière de sécurité.

J'ai entendu ma mère transmettre l'information à mon père, puis mon père jurer.

— Écoute, chérie... Est-ce que tu as une lampe torche ?

Je l'avais posée sur la paillasse. Je l'ai ramassée, bien que je n'en aie pas véritablement besoin. Il faisait encore suffisamment jour pour y voir clair.

— Oui, ai-je répondu.

— Parfait. Prends un bon livre et attends-nous. On essaie de rentrer le plus vite possible.

— D'accord. À tout à l'heure, maman.

Dehors, les éclairs continuaient de tracer des zigzags de feu. J'ai raccroché et je me suis précipitée à la fenêtre. Le ciel allait-il redevenir rouge sang ?

Non, mais il était bien pourpre quand même.

J'ai repris le téléphone et j'ai composé cette fois le numéro de chez Will.

Occupé.

Je me suis alors souvenue que je devais appeler l'agence d'électricité locale. J'ai sorti l'annuaire et j'ai cherché le numéro.

Après avoir écouté toutes les options qui s'offraient à moi – presser le bouton 1 en cas de lumière vacillante ; le 2 en cas d'odeur de brûlé ; le 3 en cas de coupure partielle du courant ; et enfin le 4 en cas de coupure totale.

J'ai appuyé sur le bouton 4 et une voix préenregistrée m'a annoncé que l'agence était au courant et que des techniciens étaient déjà en route.

J'étais bien contente de ne pas travailler pour eux. Je n'aurais pas aimé être dehors par ce temps-là.

Alors que j'envisageais de faire un peu de trigonométrie, histoire de passer le temps, le téléphone a sonné une nouvelle fois. J'ai décroché. Une voix de femme que je ne connaissais pas a demandé :

— Allô ? Est-ce que je suis bien chez Ellie Harrison ?

— Oui, c'est moi, ai-je répondu.

Qui ça pouvait bien être ?

— Oh, Ellie, bonsoir, a continué la femme, visiblement soulagée. Ici Jane Wagner. La... la belle-mère de Will.

— Bonsoir, Mrs. Wagner. Je... je suis désolée pour ce qui s'est passé tout à l'heure au lycée.

— Moi aussi, Ellie. Vous ne pouvez pas imaginer à quel point. Mais ce n'est pas pour cela que je vous appelle. Je me demandais si, par hasard, Will était chez vous ?

J'ai cru à ce moment-là que j'allais briser le combiné tellement je le serrais fort.

— Non, ai-je dit avec l'impression que mon cœur allait bondir hors de ma poitrine. Je pensais que *vous* m'auriez donné des nouvelles.

— Je n'en ai pas depuis... (Mrs. Wagner a toussoté) ... depuis cet après-midi. J'espérais... je ne sais pas où ils ont disparu tous les deux, et je ne vous aurais pas dérangée si Will n'avait pas passé autant de temps chez vous ces derniers jours. C'est pourquoi je m'étais dit qu'il serait peut-être...

Tandis que Mrs. Wagner continuait de parler, je me suis approchée de la baie vitrée qui ouvre sur la terrasse. À cause de ce fichu orage, je n'avais pas pensé à regarder du côté de la piscine.

J'ai remonté les stores en priant pour découvrir Wil, assis sur le rocher de la Mygale. Mais oui, bien sûr ! Il ne pouvait être que là ! Et moi, j'allais ouvrir la porte et lui lancer : « *Hé, nigaud ! Ne reste pas dehors ! Tu ne vois pas qu'il va pleuvoir ? Rentre !* »

Sauf qu'il n'était pas là.

Mon matelas, emporté par une rafale de vent, était coincé sous des buissons ; et avec les bouillonnements qui agitaient à sa surface, la piscine évoquait le chaudron géant d'une sorcière.

J'ai rabaissé les stores.

— ... que vous sauriez peut-être où il est, continuait Mrs. Wagner. Nous sommes allés au port, mais il n'y est pas. Loin de nous évidemment l'idée qu'il ait pu sortir le bateau, c'est juste qu'on ne sait pas du tout où il peut être. J'ai parlé avec son ami Lance et à la petite Jenny Gold, mais ni l'un ni l'autre n'ont eu de ses nouvelles.

J'ai entendu aboyer dans le téléphone puis Mrs. Wagner a dit :

— Cavalier ! Cavalier ! Tais-toi ! Excusez-moi, a-t-elle ajouté à mon intention. Je ne sais pas ce qu'a le chien de Will. Lui qui est d'habitude si sage. L'orage doit le perturber. Le problème, c'est que Marco... En vérité, Ellie, j'ai peur que Will ne soit en danger.

— En danger ? À quel danger pensez-vous, Mrs. Wagner ?

Pas les forces du Mal, s'il vous plaît, ai-je prié intérieurement. Est-ce que Mr. Morton lui avait parlé, à elle aussi ?

La voix de Mrs. Wagner s'est brisée et elle a éclaté en sanglots.

— Je suis désolée, a-t-elle hoqueté. Je m'étais juré de ne pas pleurer. C'est à cause de Marco, voyez-vous...

Et sous les aboiement de Cavalier, elle a poursuivi :

— Arthur, mon mari, me dit de ne pas me faire de souci, mais je ne vois pas comment... La vitrine dans laquelle il range ses armes a été fracassée et l'un des revolvers a disparu. Je pense que c'est

Marco qui l'a pris. J'ai peur qu'il ne commette une bêtise...

Je n'ai pas entendu la suite. Il y a eu un éclair éblouissant et du haut-parleur est monté un bruit strident. J'ai eu l'impression qu'il explosait dans mes oreilles. J'ai lâché le combiné en hurlant et, quand je me suis baissée pour le ramasser, la ligne était coupée.

❦ CHAPITRE 24 ❧

Sous les rafales du vent d'est
La tempête faisait rage et les arbres jaune pâle
déclinaient,
Le vaste ruisseau entre ses berges gémissait,
Le ciel bas tombait à verse
Sur l'imposant Camelot.

Peu importait que je n'aie pas entendu la fin de la phrase de Mrs. Wagner. Peu importait, car je savais ce qu'elle allait dire.

Comme je savais ce que je devais faire : retrouver Will.

S'il n'était ni chez lui ni sur son bateau, et s'il n'était ni avec Lance ni avec Jennifer...

... Il n'y avait qu'un seul endroit où il pouvait se trouver.

Le problème, c'est que je n'avais pas de voiture pour m'y rendre. Il n'avait pas encore commencé à pleuvoir, mais le ciel s'assombrissait à vue d'œil. Encore quelques secondes, quelques secondes et non quelques minutes, et l'orage éclaterait.

Chaque éclair était suivi d'un coup de tonnerre.

J'ai compté.

L'orage n'était plus qu'à un kilomètre.

Et alors ? ai-je pensé en enfilant mes tennis. Tu n'es pas en sucre, Harrison. Tu ne vas pas fondre.

La vitrine où l'amiral Wagner rangeait ses armes avait été fracassée.

Le parc se trouvait à un peu moins de trois kilomètres. Quand je m'entraînais, je courais trois kilomètres, voire plus. Bon, d'accord, pas sur la route, après avoir mangé et pendant la tempête du siècle.

Mais qu'est-ce que je pouvais faire d'autre ?

J'ai attrapé le premier vêtement de pluie que j'ai trouvé − une cape appartenant à mon père. Elle avait même une capuche. C'était parfait.

Un revolver. Il a un revolver.

Je venais d'ouvrir la porte quand ça s'est produit à nouveau. Cette fois, j'ai vu l'éclair tracer un Z dans le ciel comme une fissure dans une assiette céleste géante. La foudre est tombée si près que j'ai pensé qu'elle avait touché la maison des voisins.

Alors, comme tout à l'heure, le ciel est devenu rouge sang. Puis, le temps que mes yeux s'habituent au changement de lumière, le ciel reprit ses teintes gris foncé.

— C'est juste à cause de l'éclair, me suis-je dit. Ce n'est pas les forces du Mal qui conspirent contre toi.

Pourtant, ma voix avait tremblé.

Quelles étaient les chances pour que Marco se décide à partir à la poursuite de Will par un temps pareil ? Vu la tempête, lui aussi y réfléchirait à deux fois avant de sortir, non ?

Et puis, j'ai repensé au revolver. Si Marco était suffisamment fou pour voler l'une des armes de son beau-père, il n'allait pas se laisser détourner de son projet par quelque chose d'aussi dérisoire qu'un orage, aussi violent soit-il.

Super.

Je ne pouvais rien contre le temps. Mais contre l'arme, si. Le revolver qu'avait pris Marco...

Les revolvers et les matraques sont inutiles face aux forces du Mal, avait dit Mr. Morton.

Mais oui, bien sûr !

Je suis rentrée dans la maison et j'ai grimpé quatre à quatre l'escalier qui menait à l'étage.

— Faites qu'il ne l'ait pas emportée avec lui ! ai-je prié tout en me dirigeant vers le bureau de mon père. Faites qu'il ne l'ait pas emportée avec lui...

Elle était là, là où il l'avait laissée la dernière fois que je l'avais vue, posée en travers de son bureau, tel un vulgaire stylo. Je l'ai prise par la poignée pour la soulever. Elle était bien plus lourde que dans mon souvenir.

Mais tant pis.

Je l'ai enveloppée dans le vêtement de pluie de mon père. Je me rappelais vaguement avoir lu quelque part qu'il ne fallait pas mouiller les épées. De toute façon, je ne pouvais pas courir dans les rues, une épée à la main ! Qu'auraient dit les voisins ? Question d'image, évidemment.

L'épée dans les bras, je suis redescendue aussi vite que j'étais montée. Je ne savais même pas au juste ce que j'envisageais de faire avec cette épée. Est-ce que j'allais vraiment m'en servir pour menacer Marco ? Une épée – qui plus est une vieille épée toute rouillée datant du Moyen Âge – contre un revolver ? Oui, ça le ferait. À tous les coups, Marco se rendrait quand il la verrait.

Ben voyons.

Il fallait bien pourtant que je fasse quelque chose.

En tout cas, si on admettait que la tempête qui s'abattait sur Annapolis était l'œuvre des forces du Mal et non pas, comme le disaient les météorologues, la rencontre de deux fronts d'air –, le fait que je sois armée de cette épée avait dû énerver quelqu'un au-dessus, car à peine étais-je sortie de la maison que la foudre a déchiré le ciel en deux.

Elle était tombée si près que, l'espace d'une seconde, j'ai pensé qu'elle m'avait touchée. J'ai hurlé sans oser lever les yeux pour regarder la couleur du ciel. De toute façon, je ne pouvais pas. J'étais trop occupée à courir. Je me suis élancée dans notre allée, puis dans la rue, avec l'impression que mes jambes me propulsaient en avant sans même que je leur en donne l'ordre.

Serrant l'épée contre moi, j'ai martelé le pavé en haletant. Moi qui pensais que courir par temps humide, comme c'est le cas ici, au mois d'août, était pénible, je me suis vite rendu compte que ce n'était rien comparé à courir quand l'air était chargé d'électricité – et encombrée d'une arme médiévale en plus.

Une fois arrivée à la route principale, j'ai marqué un arrêt, sous le choc. Des branches d'arbre, abattues par le vent, jonchaient le sol. On aurait dit les haies sur le terrain de course... ou des serpents. Les feuilles étaient tournées vers le sol, comme si elles cherchaient à se défendre d'un ennemi, et brillaient d'un gris pâle dans le peu de lumière qui filtrait à travers les nuages noirs.

J'ai pris une profonde inspiration et, sans faiblir, j'ai recommencé à courir entre les obstacles, consciente que je me trouvais en plein milieu de la chaussée, me répétant : « Pourvu que je ne croise pas de voiture ! »

Raté.

Au même moment, une voiture a surgi. Elle roulait si vite qu'il était impossible que le conducteur – une mère de famille inquiète qui allait chercher ses enfants avant que la pluie ne tombe – braque à temps et m'évite. Elle a foncé droit sur moi. Quand, enfin, elle m'a vue, elle a klaxonné et pilé...

Le Mal n'acceptera jamais que la Lumière interfère. Il jettera des obstacles insurmontables sur notre chemin, des obstacles mortels.

... J'ai juste eu le temps de sauter sur le côté, aussi légèrement que le cerf que j'avais aperçu un jour au bout de notre allée, avant de couper à travers les pelouses.

C'était bien plus agréable que d'enjamber des troncs d'arbre ou d'esquiver des voitures. Sans compter que l'herbe était plus douce à fouler que le goudron...

Les forces du Mal – si elles existaient – ne semblaient pas plus apprécier ma décision de passer par les jardins que celle de me munir d'une épée.

Ou alors il était tout simplement temps que le ciel s'ouvre, libérant des trombes d'eau qui traversèrent mes vêtements en un rien de temps et aplatirent mes cheveux sur ma tête et ma nuque.

J'ai pourtant continué à courir, faisant fi de la pluie qui tombait si drue que je ne voyais rien à deux mètres devant moi, et qui transformait l'herbe sous les pieds en une rivière de boue. Je devais être à la hauteur du Wawa, et le Wawa était à mi-chemin du parc. Encore un kilomètre et demi à parcourir.

Les forces du Mal n'avaient plus d'obstacles à jeter sur mon chemin. Les éclairs ne m'avaient pas plus découragée que les voitures ne m'avaient écrasée, ou la pluie arrêtée.

La peur n'avait pas eu raison de moi.

J'irais jusqu'au parc, coûte que coûte.

C'est à ce moment-là qu'il a commencé à grêler.

Au début, j'ai pensé que j'avais donné un coup de pied dans un caillou. Puis j'en ai senti un autre. Et un autre encore. Bientôt, des grains de glace s'abattaient sur ma tête, mes épaules, mes cuisses, mes chevilles.

Mais j'ai continué. J'ai soulevé l'épée au-dessus de ma tête en prenant soin de bien la protéger avec le vêtement de pluie de mon père et, m'en servant comme d'une espèce de bouclier, j'ai foncé entre les arbres, même si les météorologues avaient rappelé aux informations que c'était le pire endroit où se tenir pendant un orage.

Et ce qui devait sans doute être encore plus dangereux, c'était de s'y trouver avec un long objet en métal tranchant...

Mais je m'en fichais. Je n'avais pas remporté le 200 mètres femmes pour rien. J'étais trop rapide pour eux tous – trop rapide pour les éclairs qui déchiraient le ciel, le teintant cette fois d'un vert métallique au lieu du rouge sang. Trop rapide pour les coups de tonnerre assourdissants qui suivaient moins d'une seconde après. Trop rapide pour la pluie. Trop rapide pour les voitures. Trop rapide pour la grêle.

L'orage était juste au-dessus de ma tête.

Et il était d'une violence extrême.

Puis la grêle s'est transformée en une pluie torrentielle. J'étais tellement trempée que ça ne portait même plus à conséquence. Surtout quand, à travers le rideau d'eau, le panneau annonçant l'entrée du parc Anne Arundel m'est apparu.

J'étais enfin arrivée. J'avais réussi. J'ai titubé vers le sentier sans même me rendre compte, jusqu'à cet instant précis, que je pleurais depuis un moment déjà, sans doute depuis qu'il avait commencé à grêler. Je pleurais, moi qui ne pleure jamais.

C'est alors que la pluie a cessé.

D'un seul coup. Comme si quelqu'un avait fermé le robinet.

Je me suis arrêtée suffisamment longtemps pour m'essuyer le visage et sécher mes yeux. Puis, j'ai recommencé à courir en direction de l'arboretum – je suis partie en sprint, en réalité –, tandis qu'au-dessus de moi le ciel grondait en signe de protestation, comme si des géants vivaient là et se disputaient.

Alors que je longeais les terrains de tennis détrempés, j'ai aperçu la voiture de Will, garée sur le parking.

Rien n'aurait pu me réconforter plus à ce moment-là.

Il était là. Il était sain et sauf.

Je me suis approchée... et j'ai vu qu'il ne se trouvait pas dans sa voiture. Elle était fermée à clé.

Et vide.

Il ne pouvait tout de même pas être resté pendant tout ce temps dans l'arboretum. Pas quand il aurait pu rentrer chez lui en voiture.

Il était trop tard. Marco était déjà venu et

reparti. J'allais découvrir Will, sans vie, gisant sur le rocher. Je le savais.

En même temps, s'il était mort, les forces du Mal ne se seraient pas donné autant... de peine pour m'empêcher d'arriver jusqu'ici...

Mais l'orage s'était calmé. La pluie avait cessé.

Je me suis brusquement arrêtée. Mais à quoi je pensais ? *Les forces du Mal ?*

Il s'agissait d'un orage. *D'un simple orage.*

Un orage venu de nulle part. Qui avait abattu des arbres, provoqué la fermeture d'une autoroute et envoyé mon chat se réfugier dans un coin de la maison. Un orage à cause duquel un chien s'était mis à aboyer comme un fou. À aboyer contre moi.

J'ai augmenté mon allure. Je tenais à présent l'épée par la poignée.

À l'intérieur de l'arboretum, que je m'attendais à trouver dévasté, jonché de branches et même d'arbres, tout était exactement comme la dernière fois que j'étais venue. L'odeur de la pluie avait imprégné l'air mais pas une goutte d'eau n'était tombée ici. Le sentier était sec et de petits nuages de poussière montaient de mes pieds à mesure que j'avançais.

Comment était-ce possible ?

Avant que je tente de trouver une explication

à cet étrange phénomène, j'étais arrivée à la ravine.

Là, je me suis aussitôt traitée de tous les noms. Quelle idiote ! J'avais oublié d'emporter une lampe torche ! Avec les nuages au-dessus, on n'y voyait rien dans le sous-bois. Tout en essayant malgré tout d'apercevoir la rivière en bas, je me suis tant bien que mal frayé un passage entre les fougères. J'ai cru un moment distinguer une silhouette mais je n'en étais pas sûre.

Et puis, je l'ai vu.

Will.

Mais il ne se tenait pas sur son rocher préféré. En fait, il n'était pas debout, mais couché sur le dos, comme...

Comme un homme mort.

∽ CHAPITRE 25 ∾

Sous la tour et le balcon,
Près du mur du jardin et de la galerie,
En une forme brillante elle flottait,
Pâle comme la mort entre les hautes maisons,
Silence dans Camelot.

Je n'ai pas hurlé.

De toute façon, je n'aurais pas pu émettre le moindre son, même si j'avais voulu. J'étais trop essoufflée d'avoir autant couru, et la peur qui avait saisi mon cœur depuis que j'avais entendu Cavalier aboyer – mais que j'avais refusé de reconnaître jusqu'alors – a semblé brusquement se contracter, stoppant toute arrivée de sang dans le reste de mon corps.

Je ne sais même pas comment j'ai réussi à atteindre le fond de la ravine. J'imagine que j'ai dû trébucher. En tout cas, quand je suis arrivée au rocher où se trouvait Will, j'avais les genoux et les cuisses couverts d'écorchures.

Will avait les yeux fermés. D'où je me tenais, je ne voyais aucun signe prouvant qu'il respirait encore. Mais je ne voyais pas non plus de taches de sang sur son corps. Il aurait dû m'entendre. Pourquoi ne bougeait-il donc pas ?

J'ai contourné le rocher en tentant tant bien que mal de contrôler le tremblement de mes jambes, et j'ai posé l'épée, toujours enveloppée dans le vêtement de pluie. Puis, j'ai coincé la pointe de mon pied dans une fente de la roche qui m'avait servi de prise la dernière fois que j'avais grimpé sur le rocher de Will.

Et, tout à coup, son visage est apparu au-dessus du mien.

— Elle ! s'est-il écrié en ôtant ses écouteurs. Tu es venue. Je savais que tu viendrais.

Il m'a tendu la main et m'a aidée à me hisser.

Ce n'est qu'une fois en face de lui que j'ai craqué.

J'avais les jambes en compote et mon sang, qui un instant plus tôt m'avait donné l'impression de s'être figé, s'est mis à fondre, semble-t-il, au seul contact de sa main, et je suis restée chancelante, avec à peine la force de tenir debout.

Will a dû comprendre ce qui m'arrivait car, juste avant que mes jambes ne se dérobent sous moi, il a dit :

— Hé, doucement...

... puis il m'a lâché la main et m'a tenue par la taille.

Voyant que je vacillais encore un peu, il m'a alors serrée contre lui en riant, pour cesser brusquement quand nos deux corps se sont rencontrés et que j'ai glissé mes mains autour de son cou.

— Hé..., a-t-il dit à nouveau, mais sur un autre ton, plus doux, plus grave.

— Je pensais que tu étais mort, ai-je murmuré en puisant dans le bleu piscine de ses yeux la force de parler enfin.

— Je suis bien vivant, au contraire.

Et il m'a embrassée pour me le prouver.

Je n'avais plus les membres en compote. Ils étaient au contraire comme électrifiés, comme si j'avais été frappée par la foudre... mais en mieux. En beaucoup mieux. Parce qu'on ne peut pas serrer la foudre dans ses bras. On ne peut pas sentir son cœur battre tout contre le sien. Ou goûter le café dans sa bouche, ou reconnaître l'odeur du linge propre de sa chemise.

Avec Will, je pouvais faire tout ça, et je le faisais....

... y compris me blottir dans ses bras. Et pas seulement parce que j'avais froid à cause de la pluie, mais juste pour me répéter qu'il était vivant. *Vivant.*

Et qu'il m'embrassait.

— Pourquoi avons-nous attendu si longtemps pour faire ça ? a-t-il demandé quand on s'est enfin écartés l'un de l'autre et qu'il a posé son front contre le mien.

— Parce que tu avais déjà une petite amie, lui ai-je rappelé.

Je n'en revenais pas d'être encore capable de parler. J'aurais pensé qu'après un tel baiser je serais restée muette. Mes lèvres me brûlaient encore.

— C'est vrai, a fait Will en me serrant contre lui. Hé, mais tu trembles ! a-t-il lancé avant de me frotter le dos. Ce n'est pas étonnant. Tu es trempée. Comment ça se fait ?

— Parce qu'il a plu, ai-je répondu.

Et histoire de confirmer ce que je venais de lui révéler, le tonnerre a grondé.

— Pas ici, en tout cas, a fait observer Will.

— Oui, je vois ça.

— Comment est-ce possible ?

Il m'a libérée, mais juste une seconde, pour ramasser son blouson qui traînait par terre à côté de son iPod et m'en couvrir. Puis il m'a de nouveau attirée contre lui.

334

— Je suis désolé pour ce qui s'est passé au bahut, tout à l'heure. Avec Marco.

— Oui. Moi aussi, je suis désolée.

— Tu n'as pas à l'être ! Tu n'as rien fait. J'aurais pu le tuer quand j'ai vu qu'il te bousculait.

— Au sujet de Marco...

J'ai marqué une pause, puis j'ai posé mes deux mains sur ses épaules et je l'ai légèrement repoussé pour mieux voir son visage. Il n'avait jamais été aussi beau, avec ses yeux bleus brillants, cernés par d'épais cils noirs.

— Quoi ? a-t-il fait. Il n'a pas... tu as eu de ses nouvelles, c'est ça ? Je l'ai perdu une fois qu'on est sortis du lycée. J'ai roulé un peu et puis j'ai renoncé. Je... je ne tenais pas particulièrement à rentrer chez moi.

Il a jeté un coup d'œil au loin avant de poursuivre :

— J'ai essayé d'appeler chez toi mais la ligne était tout le temps occupée. Je pensais venir te voir, mais après ce qui s'est passé, je n'étais pas sûr...

J'ai pris son visage entre mes mains et je l'ai forcé à me regarder droit dans les yeux.

— Tu n'es pas sérieux, dis ? Tu pensais vraiment que je ne voulais pas te voir à cause de ce qui s'est passé au lycée ?

L'ombre que je ne connaissais que trop a alors plané au-dessus de son visage et assombri ses traits.

— Tout le monde ne doit parler que de ça...

— Will, ta mère a appelé. Elle se fait du souci.

Il s'est écarté de moi et m'a tourné le dos.

— Écoute, a-t-il dit tout en se passant la main dans les cheveux. J'ai besoin d'un peu de temps loin d'elle. Et loin de mon père. Juste pour réfléchir à ce qui m'arrive.

Quand il m'a regardée de nouveau, son visage était empreint d'une ironie désabusée.

— Ce n'est pas tous les jours qu'on découvre que sa mère n'est pas morte, comme on le pensait.

— Je sais. Mais ce n'est pas pour ça qu'elle a appelé.

Will a eu une moue sceptique.

— C'est pour Marco, c'est ça ?

J'ai hoché la tête. Le tonnerre a grondé à nouveau.

— Qu'est-ce qu'il a encore fait ? a continué Will en soupirant. Embouti la Land Cruiser ? Vidé le bar de mon père ? Non, il a déjà fait tout ça. Et puis, rien de cela ne me blesserait, et c'est à moi qu'il en veut pour ce qu'il lui arrive. Oh, attends, je sais. Il a sorti le *Pride Winn* et l'a échoué.

— Non. Il a pris le revolver de ton père et je pense qu'il veut te tuer.

CHAPITRE 26

Alors que la barque sillonnait sur l'eau
Les collines couvertes de saules et les champs
alentour
Ils l'entendirent chanter sa dernière chanson,
La Dame de Shallot.

— C'est impossible, a-t-il dit tout net.

— Will...

Je me sentais tellement mal. Je retombais des hauteurs où m'avaient propulsée ses baisers. À croire qu'ils n'avaient pas existé. Les avais-je rêvés ? C'était probable, étant donné que tout ce que je venais de vivre au cours de ces dernières heures, entre la tempête et... eh bien... ça.

— Non, ce n'est pas impossible, ai-je repris. Le cabinet dans lequel ton père range ses armes a été fracturé, il manque un revolver et Marco a disparu. Je sais que ce n'est pas toi qui l'as pris. Qui d'autre aurait pu le faire ?

— Oh, je suis sûr que c'est lui, a fait Will. Mais

me tuer ? Jane — je veux dire, ma mère, en rajoute, à mon avis. Marco n'est pas un tueur.

C'était exactement ce que j'avais dit à Mr. Morton. Avant d'avoir découvert la suite.

— Will, c'est peut-être plus compliqué que tu ne le penses.

— Plus compliqué que de découvrir que ma vraie mère a accouché de moi pendant que son mari était à l'étranger et qu'elle m'a confié ensuite à l'homme qui m'avait conçu afin que son mari ne découvre pas qu'elle lui avait été infidèle ? Plus compliqué que d'apprendre que ma vraie mère n'était pas morte, comme on me l'avait toujours dit, mais que c'est la femme que mon père a épousée après avoir suffisamment gravi les échelons pour pouvoir envoyer son meilleur ami — son mari — à la mort ?

Will a éclaté d'un rire amer.

— Non, franchement, Elle. Ça ne peut pas être plus compliqué.

— Oui, je sais, je sais tout ça. Mais je dois tout de même te dire quelque chose, quelque chose qui te paraîtra sans doute étrange, mais... Tu te souviens quand tu m'expliquais que tu avais parfois l'impression d'avoir déjà vécu certaines choses ? Eh bien, il existe un groupe de personnes qui pensent que...

— Et c'est pour ça qu'il veut me tuer ? m'a interrompue Will, qui manifestement ne m'avait pas écoutée. C'est mon père qui est responsable. Pas moi. Moi, je n'ai rien à voir avec tout ça.

— Will, tu te rappelles quand Marco a attaqué Mr. Morton l'an dernier ? Eh bien...

— Ce n'est pas comme si mon père l'avait fait exprès, a-t-il continué. Bien sûr, il l'a envoyé dans une zone dangereuse, mais ce n'est pas lui qui a tiré sur l'hélicoptère. Ils étaient sous le feu ennemi. Ça aurait pu arriver à n'importe qui.

— Will ! ai-je lancé en le prenant par l'épaule. Peu importe pourquoi. Le fait est que Marco veut te tuer. Tu ne crois pas qu'on devrait partir d'ici, toi et moi, au cas où il nous retrouverait ?

— Marco ? a fait Will en plissant les yeux. Il ne connaît pas cet endroit. Je ne l'ai jamais amené, je ne lui en ai même jamais parlé !

— Et le rendez-vous avec Mr. Morton et ta mère ? Est-ce que quelqu'un lui en avait parlé ? Ou est-il juste arrivé comme ça ?

— Non, personne ne lui en avait parlé. Il...
Will est passé de la colère à la confusion.

— Comment a-t-il su ? a-t-il repris. À moins que... Il a peut-être écouté sur l'autre poste quand Mr. Morton a appelé à la maison ?

— Oui. Ou il y a peut-être une autre explication.

— Quoi ? Qu'il est doué d'une perception extrasensorielle ?

— Ou que c'est un agent des forces du Mal.

Je l'ai dit à toute vitesse, sinon je n'aurais jamais pu prononcer cette phrase. Pourtant, je n'y croyais toujours pas. Du moins, pas complètement. Mais je tenais à mettre Will en garde, puisque Mr. Morton ne l'avait manifestement pas fait.

— Les forces du quoi ?

Will n'a pas fini sa phrase et m'a dévisagée.

Mais au lieu d'éclater de rire, comme je m'y étais attendu, il m'a scrutée d'un regard encore plus intense.

— À quoi faisais-tu allusion quand tu m'as rappelé tout à l'heure cette impression que j'avais d'être déjà venu ici ? a-t-il demandé. Et c'est quoi ce groupe d'individus qui pensent que...

— Will, l'ai-je coupé en le tenant plus fermement par les épaules. C'est une longue histoire et il est fort probable que rien de ce qu'elle raconte ne soit vrai. Mais vrai ou pas, je pense qu'on devrait partir, au moins pour nous mettre à l'abri de la pluie si ce n'est pour échapper à Marco.

Will a levé les yeux vers les nuages noirs qui

s'amoncelaient au-dessus de nos têtes – du moins, vers ce qu'on pouvait en voir à travers la cime des arbres.

— OK, a-t-il dit en commençant à me suivre en bas du rocher. Où veux-tu aller ?

La voix grave qui lui a alors répondu venait de nulle part :

— Pourrais-je vous recommander Tahiti ?

Je me suis aussitôt immobilisée. Le sang que Will avait à nouveau fait circuler dans mes veines un instant plus tôt en m'embrassant s'est de nouveau figé.

Parce que je reconnaissais cette voix. Je savais à qui elle appartenait avant même de me retourner et de le voir, debout en bas de la ravine, le canon d'un revolver noir braqué sur Will.

— J'ai entendu dire que la Polynésie était très agréable à cette période de l'année, a déclaré Marco sur un ton désinvolte.

Les deux frères se sont fixés, Marco en bas et Will sur son rocher. Le silence était tel qu'on entendait leur souffle à l'un et à l'autre... jusqu'à ce que la foudre traverse le ciel et n'embrase l'horizon.

Puis le tonnerre a grondé et le ciel s'est de nouveau obscurci.

— Elle, a dit Will dans le silence soudain qui

a suivi ce spectacle pyrotechnique céleste. Rentre chez toi.

— Oui, *Elaine*, rentre chez toi, a renchéri Marco, d'une voix pleine de malice. Va retrouver ta barque. Il n'y a rien que tu puisses faire ici.

Je me suis hérissée à cette suggestion. Je savais à quoi Marco songeait. Il n'y avait rien qu'*Elaine d'Astolat* puisse faire ici.

Mais je n'étais pas Elaine d'Astolat. J'étais Elaine Harrison et il y avait plein de choses que je pouvais faire.

— Je ne bougerai pas, ai-je déclaré.

Marco a fait mine d'être touché.

— Oh, comme c'est adorable, a-t-il susurré. Elle reste pour défendre son homme.

Will, lui, n'avait pas l'air de trouver cela adorable.

— Elle, a-t-il repris, sur le même ton que celui qu'il avait utilisé avec Rick, devant la classe de Mr. Morton, un ton qui aurait pu être celui d'un roi tellement il résonnait de colère à l'idée que ses ordres ne soient pas exécutés. Rentre. Je te retrouverai chez toi plus tard.

— Oh, non, Will, tu ne la retrouveras pas chez elle plus tard, a corrigé Marco. Et c'est pour ça qu'elle reste. Elle sait aussi bien que moi que tu ne retrouveras plus personne après.

Un nouvel éclair a illuminé le ciel, puis le tonnerre a tonné et tout est redevenu gris.

— Marco, arrête, c'est stupide, a déclaré Will. Tu ne vas pas faire ça, quand même.

— Tu te trompes, Will. Je vais le faire parce que j'en rêve depuis très longtemps. Qu'est-ce que tu crois ? Que je n'en ai pas assez d'entendre à longueur de journée à quel point tu es formidable. *Pourquoi ne peux-tu pas être plus comme Will ? Regarde-le, il n'a pas laissé tomber son job d'été, lui. Il n'a pas eu d'accident avec la voiture. Il ne sèche pas les cours. Will, l'enfant prodige, à qui tout réussit. Le capitaine de l'équipe de football. Le délégué de classe.* Je ne comprenais pas pourquoi ma mère me harcelait tout le temps à cause de toi. Aujourd'hui, j'ai compris.

Il a ôté le cran de sûreté du revolver.

— Et puis, a-t-il poursuivi avec la même désinvolture que si on se trouvait tous les trois au Storm Brothers ou dans un autre restaurant, voilà qu'elle épouse ton père ! Formidable ! Parce que maintenant, j'ai la chance de vivre à tes côtés et de voir à quoi j'aurais pu ressembler si je m'étais un peu plus appliqué à suivre ton exemple. Mais comme si ça ne suffisait pas, elle m'annonce qu'on est frères ! Oui, *frères* ! Je n'avais pas déjà assez l'impression de ne pas être à la hauteur, non. À présent, il va falloir que je me fasse à l'idée que toi et moi, on a un paquet d'ADN en commun. Ah oui, et en plus, que ton père se faisait ma mère dans le dos de mon père ! Sympa, ça aussi.

— Nos parents ont fait n'importe quoi, Marco, je te l'accorde, a déclaré Will d'une voix égale. Mais ce n'est pas une raison pour qu'on s'en tienne rigueur, n'est-ce pas ?

— *Ce n'est pas une raison pour qu'on s'en tienne rigueur ?* a répété Marco en éclatant de rire. C'est très généreux de ta part, Will, étant donné que ce n'est pas mon père qui a tué le tien. Non, pour moi, il n'y a qu'une seule façon de rétablir l'équilibre. Œil pour œil...

— Si c'est ça que tu veux, Marco, suis-je intervenue, c'est au père de Will que tu dois t'en prendre, pas à Will.

Will m'a aussitôt lancé un regard qui voulait dire *Reste en dehors de tout ça.*

— J'y ai songé, a répondu Marco, mais en fait, je préfère que le vieux souffre. Et qu'est-ce qui pourrait le faire le plus souffrir que de savoir que son précieux garçon est mort par sa faute ? Il lui faudra vivre avec ça sur la conscience pendant le restant de sa vie, tout comme je dois vivre sans mon père. C'est ce qu'on appelle la loi du talion – œil pour œil, dent pour dent.

— Mais à quoi bon, Marco ? a demandé Will. Ça ne fera pas revenir ton père !

— Non, c'est vrai, a reconnu Marco d'une voix tout à fait raisonnable. Mais je me sentirai mieux après, beaucoup mieux.

— Et quand tu seras en prison ? a fait observer Will très calmement.

S'il avait peur, ça ne se voyait pas. Debout sur le rocher, il se tenait droit et parlait d'une voix claire. À le regarder comme ça, je le trouvais presque... majestueux.

Apparemment, je n'étais pas la seule. Marco était incapable, semble-t-il, de détacher ses yeux de lui.

Ce qui m'arrangeait. Car ça me laissait la possibilité de me glisser discrètement en bas du rocher et d'attraper l'épée que j'avais laissée par terre.

— Je n'irai en prison que si je me fais attraper, a déclaré Marco. Ce qui n'est pas mon intention.

— Très bien, a fait Will en riant. Qu'est-ce que tu vas faire, alors ? Partir en cavale ? Tu n'as même pas d'argent. Tu as dépensé toutes tes économies dans cette stupide Corvette. J'espère d'ailleurs que tu n'envisages pas de t'enfuir à son volant. Tu auras à peine le temps d'atteindre Bay Bridge que les policiers t'auront mis la main des-

347

sus. N'oublie pas qu'ils te recherchent depuis tes... derniers exploits au lycée.

Comme j'étais occupée à dégager l'épée du vêtement de pluie de mon père, je ne voyais pas le visage de Marco, mais rien qu'à sa voix, je devinais qu'il était complètement indifférent aux mises en garde de son frère.

— Dans ce cas, je prendrai ta voiture, et l'argent que je trouverai dans tes poches une fois que je t'aurai tué. Descends de là, maintenant. Je vais finir par avoir un torticolis.

— Tu as des problèmes, Marco, a dit Will, tu as besoin de te faire aider. Pose cette arme et parlons.

— Il est trop tard pour parler.

Marco commençait à perdre patience. Il s'exprimait d'une voix plus forte, et pas seulement parce que le tonnerre grondait à nouveau.

— Descends de ce rocher, Will, ou je vise la tête de ta petite copine. Qu'est-ce qu'elle fabrique, d'ailleurs ? Hé, la Dame au Lys, sors de là ! Je ne plaisante pas. Sors immédiatement ou je lui tire une balle en pleine poitrine.

Je suis aussitôt remontée sur le rocher, l'épée de mon père dans mon dos. Ni Marco ni Will ne semblait l'avoir remarquée.

— Marco, a fait Will en tendant les mains en

avant dans l'espoir de faire appel à ses bons sentiments (s'il en avait). Arrête. Je suis ton frère.

— Pourquoi faut-il que tu me le rappelles maintenant ? a demandé Marco, avec une vraie déception dans la voix. Je vais te tuer, Will. Je pensais tuer d'abord ta petite copine et t'obliger à la regarder, mais...

Il a levé le revolver, a fermé un œil et a visé Will.

— Tant pis !

— Will ! ai-je hurlé. Ici !

Et alors que Will se tournait vivement vers moi, je lui ai lancé l'épée.

❧ CHAPITRE 27 ❧

Dehors sur les quais ils arrivèrent,
Chevaliers et bourgeois, seigneur et dame,
Et autour de la proue, ils lurent son nom,
La Dame de Shallot.

Le coup est parti, mais le feuillage des arbres
et des arbustes de la ravine l'avait tellement
amorti que Will n'a pas paru l'entendre. La balle
a sifflé au-dessus de sa tête pile au moment où il
se penchait pour attraper l'épée. À l'expression
de son visage, j'ai aussitôt compris que celle-ci le
laissait plus que perplexe. *Une épée ?* semblait-il
penser. *À quoi une épée peut-elle me servir ?*

Bon d'accord, il marquait un point. À quoi une
épée pouvait-elle lui servir contre un revolver ?

Sauf que...

Sauf que, lorsque ses doigts se sont enroulés
autour de la poignée, quelque chose a changé. Je
n'aurais pas su dire quoi, mais à ce moment-là,

plus rien n'a été pareil. Comme si quelqu'un avait tourné le bouton qui réglait l'autofocus du monde.

Car brusquement, tout a semblé plus lumineux, plus vif, plus coloré. Les ombres sous les racines des arbres et à la base des roches paraissaient plus foncées.

Et le vert des feuilles au-dessus plus vert.

Quant à l'épée, on aurait dit qu'elle scintillait, au point que les taches de rouille semblaient avoir disparu.

Au même moment, le ciel a commencé à s'éclaircir. Les nuages roulaient au loin, révélant un coucher de soleil aux teintes rose et lavande, typique des étés indiens.

C'était donc pour ça que, à peine les doigts de Will s'étaient refermés sur la poignée de l'épée, tout avait paru tellement plus clair.

Mais pourquoi dans ce cas Will semblait-il plus grand, ses cheveux plus noirs et brillants que jamais ? Et ses épaules plus larges aussi, ses yeux plus bleus ? Comme s'il émanait de lui une...

Oui, une lumière intérieure.

Je ne vois pas d'autre raison.

J'ai secoué la tête. Non. C'était impossible. L'orage était passé, voilà pourquoi tout me paraissait si différent. Ou c'était tout simplement à cause de mon amour pour lui, mon amour qui me faisait tout voir en rose.

Peut-être, mais comment expliquer alors la réaction de Marco quand Will a tourné son visage vers lui, l'épée brandie devant lui comme s'il avait passé tous les jours de sa vie une épée dans les mains.

— Lâche ce revolver, Marco ! a-t-il dit d'une voix qui, comme tout le reste autour de nous, avait changé pour devenir plus grave et plus assurée. Plus – bien que je n'aime pas l'admettre – royale.

Le visage d'une blancheur cadavérique, Marco est tombé à genoux, comme si ses jambes s'étaient tout simplement dérobées sous lui.

Ou comme s'il avait reconnu la personne sur qui il venait de tirer.

— Non..., a-t-il murmuré.

Lorsque Marco a enfin relevé la tête et qu'il m'a vue aux côtés de Will, il m'a adressé un regard qui n'exprimait pas la haine, mais un sentiment que je n'y avais encore jamais lu auparavant : un sentiment de... peur.

— Tu n'es pas la Dame de Shallot !

J'ai secoué la tête. Ça n'avait aucun sens. Quoique, d'une certaine façon, si...

— Je n'ai jamais dit que je l'étais, lui ai-je rappelé.

— Je poserai cette épée quand tu poseras ce revolver, Marco, a déclaré Will de la même voix autoritaire. Ensuite nous pourrons parler. Comme des frères.

— Des frères ! a fait Marco, amer, avant de braquer son arme – et son regard – dans ma direction. Pourquoi a-t-il fallu que tu viennes et que tu lui donnes cette épée ? a-t-il alors hurlé. Une seule personne était censée lui donner une épée. Et ce n'est pas toi ! Ça ne peut pas être toi ! C'est impossible !

Seuls les proches d'Arthur peuvent empêcher que les forces du Mal n'accèdent au trône.

— Lâche ce revolver ! a répété Will. Maintenant... avant que l'un de nous ne soit blessé.

Marco a desserré ses doigts du revolver, comme s'il était incapable de ne pas faire ce que Will lui disait.

Ça marchait. Il renonçait.

Au même moment, une silhouette en bleu a surgi de l'épaisseur des buissons à côté de lui. Une seconde plus tard, Marco était allongé par terre, sur le dos, au bord du lit de la rivière, Lance Reynolds couché de tout son long sur lui.

— Will t'a demandé de..., a commencé Lance en tâtonnant à la recherche du revolver.

Voyant que Marco s'en était déjà débarrassé, il a ajouté, plus calmement :

— OK, c'est bon.

Jennifer est alors sortie à son tour des buissons. Elle a jeté un coup d'œil à Lance et à Marco, puis a levé les yeux vers Will et moi.

— Super, a-t-elle dit de sa petite voix fluette vibrante de satisfaction. On est arrivés à temps. Tu as vu, Lance ? Je te l'avais dit qu'ils seraient là.

Will a abaissé l'épée et l'a enfin considérée comme s'il venait de prendre conscience de l'objet qu'il tenait entre les mains.

Puis il s'est tourné vers moi et m'a regardée. On aurait dit qu'il avait couru trois kilomètres sous la tempête.

Il a ensuite glissé ses bras autour de ma taille et m'a attirée contre lui.

— Merci, a-t-il murmuré contre mes cheveux encore mouillés.

— Je n'ai rien fait.

— Oh, si, a-t-il corrigé en me serrant plus fort.

— Regarde, Lance ! s'est alors écriée Jennifer ! Je te l'avais dit qu'ils formeraient un beau

couple ! (Puis son ton a changé et elle a ajouté :)
Une minute. Qu'est-ce qu'il fabrique ici, lui ?

Je me suis écartée de Will et j'ai vu Mr. Morton qui se frayait un passage à travers les buissons... suivi de plusieurs policiers.

CHAPITRE 28

Qui est-ce ? Et qu'est-ce que ceci ?
Et tout près dans le palais éclairé
S'arrêta le bruit de l'applaudissement royal.
Et ils se signèrent de peur
Tous les chevaliers à Camelot.

— Je croyais que vous deviez partir pour Tahiti ? me suis-je exclamée sur un ton accusateur.

— Doucement, Ellie, a fait ma mère.

— C'est ce qu'il m'avait dit.

Assise sur le canapé du salon, une couverture autour de moi, j'ai lancé un regard furieux à Mr. Morton. Bien que je me sois changée et aie bu au moins un litre de chocolat chaud, j'avais l'impression que je n'arriverais jamais à me réchauffer. Pourtant, l'orage était passé et l'air de la nuit relativement clément à présent.

Mr. Morton a eu comme une moue d'excuse.

— C'est vrai, je lui avais dit que je partais pour

Tahiti, a-t-il expliqué à mes parents. C'était terriblement égoïste de ma part, mais je n'imaginais pas que...

— Et comment pouviez-vous penser que de demander à la mère de Will de lui dire la vérité allait aider ? ai-je continué.

— Ellie, s'il te plaît, a murmuré ma mère.

Mais je n'ai pas tenu compte de son intervention.

— Ça n'a fait que compliquer les choses ! Vous deviez le savoir tout de même que Marco allait l'apprendre un jour ou l'autre !

— Bien sûr, bien sûr, a dit Mr. Morton.

Une tasse de thé, à laquelle il n'avait pas touché, était posée sur la table, en face de lui. Il avait accepté l'offre de mes parents de venir boire quelque chose de chaud chez nous, après notre retour du poste de police. Mes parents avaient mis un temps fou à rentrer à cause des embouteillages sur l'autoroute et, une fois à la maison, ils avaient trouvé un message sur le répondeur (les lignes téléphoniques venaient d'être rétablies) leur demandant de venir me chercher.

À leur arrivée, j'attendais en grelottant dans mes vêtements mouillés à l'extérieur de la salle où l'on avait pris ma déposition. Will, lui, était toujours à l'intérieur et donnait sa version des événements. Je me demande finalement si je ne tremblais pas plutôt à cause du regard glacial et sévère de l'amiral Wagner, qui nous avait rejoints avec sa femme après que Marco avait utilisé son droit à passer un coup de fil pour... eh bien, les appeler.

Ce que je trouvais assez drôle, en fait, étant donné qu'il s'apprêtait, une demi-heure plus tôt, à détruire leur vie à tous les deux.

Quoi qu'il en soit, le sachet de Lipton, que ma mère avait négligemment mis dans la tasse de Mr. Morton, ne devait apparemment pas satisfaire les exigences de ce dernier en matière de thé, car il n'y avait pas touché.

— Après votre départ de chez moi, a repris Mr. Morton en me regardant, j'ai énormément repensé à ce que vous m'aviez dit, Elaine. Comme quoi Arthur ne m'aurait jamais abandonné, comme moi je l'abandonnais. Vous ne pouvez pas imaginer l'effet que vos paroles ont eu sur moi. J'ai passé ma vie entière à essayer de faire respecter les valeurs que l'ordre des Ours nous ont enseignées, et je me comportais de manière aussi lâche que... eh bien, que Mordred. C'est pourquoi je me suis dit que, si je parvenais à clarifier les choses parmi les proches d'Arthur, il y avait peut-être une chance pour qu'ils acceptent la situation et que, l'un dans l'autre....

— Ils brisent le cycle, l'a interrompu ma mère avec impatience.

J'ai écarquillé les yeux. Mr. Morton, membre de l'ordre des Ours, assis dans notre salon, mais c'était le rêve pour elle ! D'ailleurs, elle buvait ses paroles.

— J'aurais dû me douter que les forces du Mal ne l'accepteraient jamais, a poursuivi Mr. Morton. Elles ont dû prévenir Marco que quelque chose se tramait à l'école, le dernier endroit où je m'attendais à le voir, étant donné son aversion pour ce lieu... sans parler du fait qu'il n'avait pas le droit d'entrer.

— Mais comment avez-vous su qu'on était à l'arboretum, Will et moi ? ai-je demandé.

— C'est assez simple, a répondu Mr. Morton. À cause des éclairs.

— Des éclairs ? ai-je répété. De quoi parlez-vous ?

— Vous ne l'avez probablement pas remarqué, mais ils se sont concentrés sur une très petite surface, la distance entre cette maison – votre maison – et le parc, pour être précis. Je n'ai eu qu'à les suivre pour savoir que je finirais par trouver l'Ours. Les éclairs sont une arme contre les forces du Mal.

J'ai failli m'étouffer en buvant une gorgée de chocolat chaud. Est-ce que mes parents gobaient ces balivernes ? Je leur ai jeté un coup d'œil. Ma mère avait l'air captivé – je voyais bien qu'elle n'avait qu'une hâte : filer dans son bureau pour prendre des notes. Quant à mon père, il semblait assez intéressé, en fait.

Et ils ont tous les deux un doctorat !

— Ce que je ne comprends pas, est intervenu mon père, c'est pourquoi cette épée a eu autant d'effet sur Marco, et sur Will aussi, si ce que vous me décrivez est vrai. Cette épée n'est même pas du même siècle qu'Excalibur. D'après mes recherches, elle aurait appartenu à Richard Cœur de Lion, mais...

— L'épée n'y est pour rien, l'a coupé Mr. Morton. C'est la personne qui la lui donne qui fait toute la différence.

Ils se sont aussitôt tournés vers moi tous les trois.

— Quoi ? ai-je fait.

— Ne dis pas « quoi » ainsi, Ellie, a murmuré ma mère. Mais « pardon ».

— Maman, ce n'est pas le moment, s'il te plaît.

Expliquez-moi plutôt pourquoi vous me regardez comme ça ?

— J'ai été injuste envers vous, Elaine, a déclaré Mr. Morton de sa voix rocailleuse. Et je comprendrais tout à fait que vous m'en vouliez. J'ai cru à tort que vous étiez Elaine d'Astolat quand j'ai appris votre nom et que j'ai constaté votre lien avec l'Ours. Mais, bien sûr, vous n'étiez pas la Dame de Shallot.

— Je le sais, ai-je répliqué, un peu agacée. Je vous l'ai d'ailleurs dit depuis le début.

— J'aurais dû me rendre compte que vous étiez quelqu'un de bien plus important. Et de plus puissant. Quoique je doive ajouter, à ma décharge, que jamais dans l'histoire de l'ordre, il n'a été spécifié que la Dame du Lac soit apparue...

— Une minute ! l'ai-je interrompu. La dame du quoi ?

— La Dame du Lac, a répondu Mr. Morton. À mon avis, je suis tout à fait excusable de m'être trompé puisque la Dame du Lac – excusez-moi, Elaine – est un personnage tellement ambigu de la légende arthurienne.

— Absolument, a renchéri ma mère. Certains professeurs pensent même qu'elle n'a jamais existé, et d'autres, qu'il s'agit d'une divinité celtique. Quoi qu'il en soit, pour la plupart, elle était une prêtresse très puissante.

— Ma seule consolation, a ajouté Mr. Morton avec un hochement de tête, c'est que les forces du Mal aient pensé également que votre fille était la Dame au Lys. Si elles avaient su qu'elles avaient affaire à quelqu'un d'aussi puissant que la Dame du Lac, elles auraient tenté de l'éliminer plus tôt. Même Marco, d'après ce que j'ai compris, connaissait son nom et l'a associé à sa passion pour...

— Filer sur l'eau, ai-je murmuré. Maman, papa, écoutez-moi. Vous ne pouvez tout de même pas croire à ces inepties ?

Mais rien qu'à l'expression de leurs visages, j'ai compris que si. Ils approuvaient Mr. Morton, avalaient tout ce qu'il leur racontait. Ce qui n'était pas si étonnant, après tout, vu qu'ils sortaient rarement de la maison.

— Il n'y a aucun doute là-dessus, Elaine, a déclaré Mr. Morton avec un sourire. Je comprends que l'idée vous paraisse choquante, pourtant, vous êtes bel et bien la réincarnation de la Dame du Lac. C'est elle qui a donné à Arthur l'arme grâce à laquelle il s'est défendu et a défendu son royaume. Elle seule était capable d'empêcher que ne soit rompue son amitié avec

Lancelot et Guenièvre, ce qui l'aurait laissé vulnérable à l'attaque de son ennemi mortel.

— Je n'ai rien fait de tout cela ! ai-je protesté. J'ai juste dit à Will qu'il ferait mieux d'avouer à Jennifer qu'il ne lui en voulait pas, pour que les autres, autour de lui, ne pensent pas qu'il était bouleversé...

— C'est exactement ce que je viens de dire, a insisté Mr. Morton. Vous avez une fille très impressionnante, Mr. et Mrs. Harrison.

Le visage de ma mère s'est épanoui en un large sourire.

— J'ai toujours pensé qu'elle aurait un grand destin, a-t-elle avoué.

Comme il me paraissait judicieux de changer de sujet, parce que franchement, tout ça me mettait hors de moi, j'ai demandé à la cantonade :

— Qu'est-ce qui va arriver à Marco, au fait ?

— La prison, a répondu ma mère, d'une voix dure.

Si l'histoire du roi Arthur l'excitait, celle du revolver l'accablait.

— Et j'espère pour le restant de ses jours, a-t-elle ajouté.

— J'ai bien peur que non, a corrigé Mr. Morton. Car il n'a blessé personne, finalement. Mais lorsqu'il sortira, ce qui ne devrait pas tarder, il devrait être inoffensif. Les forces du Mal l'ont abandonné quand Will a triomphé d'elles.

C'est pas vrai ! ai-je pensé en levant les yeux au ciel.

— Pauvre gosse, a dit mon père en soupirant. Il n'a pas eu une vie facile.

— Il s'apprêtait à tirer sur ta fille, lui a rappelé ma mère. Excuse-moi si je n'ai pas plus de compassion pour lui.

— En suivant une thérapie adéquate et un programme de réhabilitation, il devrait finir par devenir un citoyen responsable, a déclaré Mr. Morton, un peu sèchement.

— Et...

Je ne voulais pas leur poser la question, car j'avais trop peur de les relancer sur le sujet de la Dame du Lac, mais il fallait que je le sache. Je ne l'avais pas revu depuis que la police nous avait séparés pour nous interroger et je n'avais aucune idée de ce qui lui était arrivé.

— ... Will ?

— L'Ours ? a dit Mr. Morton d'un air songeur. Eh bien, Arthur est à la croisée des chemins en ce moment. Il a été trahi par son frère, c'est vrai, mais par ses parents aussi. Il sera intéressant de voir...

— Will ne s'entendait pas très bien avec son

père avant toute cette histoire, l'ai-je coupé.
L'amiral Wagner voulait qu'il entre à l'École
navale et Will ne veut pas faire carrière dans l'armée. Maintenant qu'il sait que son père lui a
menti au sujet de sa mère, ça m'étonnerait qu'il
se plie à sa volonté. Et puis, arrêtez de l'appeler
Arthur, ça a le don de m'horripiler.

— Ah bon, a fait Mr. Morton. Je suis désolé.
Il m'a effectivement parlé de son père quand nous
attendions au poste de police que...

— Vous avez parlé à Will ? ai-je presque hurlé.
Vous lui avez raconté votre truc sur Arthur ?

— Bien sûr, Elaine, a répondu Mr. Morton, un
peu choqué vu qu'il y a une minute à peine il me
disait que j'étais censée être une prêtresse aux
pouvoirs immenses. Il a bien le droit de connaître
ses origines.

— Mon Dieu ! me suis-je exclamée en me prenant la tête entre les mains. Et qu'est-ce qu'il a
dit ?

— Pas grand-chose. Ce qui n'est guère étonnant. Après tout, ce n'est pas tous les jours
qu'un jeune homme apprend qu'il est la réincarnation de l'un des plus grands leaders de tous les
temps.

J'ai étouffé un hurlement de rage dans le creux
de mes mains.

— Je vais rester à Annapolis, évidemment, a continué Mr. Morton, afin de l'aider à trouver sa voie. D'autres membres de l'ordre vont me rejoindre pour faciliter au mieux ses besoins.

Je suis sûre que ma mère s'est retenue de justesse de ne pas applaudir des deux mains. Quelle aubaine pour elle : des membres de l'ordre des Ours allaient débarquer en ville et elle pourrait les interviewer pour son livre.

— L'université est évidemment sa prochaine destination, mais il faut que ce soit la *bonne* université. Grâce à ses notes, Arthur – pardon, Elaine –, Will peut aller où il veut, mais la question est de savoir quelle université est la mieux placée pour façonner l'esprit d'un homme qui pourrait devenir un jour le leader le plus influent de l'histoire moderne.

La sonnette a heureusement retenti à ce moment-là.

J'ai rejeté ma couverture et j'ai lancé :

— J'y vais ! Et j'espère que ce ne sont pas les forces du Mal, ai-je marmonné en chemin.

— Oh, ne vous inquiétez pas, a fait Mr. Morton gaiement. Elles ont été mises hors de danger de nuire, grâce à vous !

— Super.

Là-dessus, j'ai ouvert la porte.

Pour découvrir Will, debout sur le seuil de la maison, un sac de sport dans une main et la laisse de Cavalier dans l'autre.

❧ CHAPITRE 29 ❧

Puis Lancelot réfléchit un instant.
Il dit : « Elle a un beau visage,
Dieu dans sa miséricorde garde sa grâce,
La Dame de Shallot. »

— Salut, a-t-il dit doucement, ses yeux d'un bleu étincelant sous la lumière du porche, si bleu que j'ai plongé en eux avant de retrouver mes esprits.

— Salut, ai-je répondu d'une voix rauque.

Des papillons de nuit se cognaient à la porte en tentant d'entrer, et le jardin détrempé, plongé dans l'obscurité, résonnait du chant des cigales.

— Je suis désolé de passer si tard, mais Cav et moi... on cherche un endroit où dormir. Tu crois que tes parents seraient d'accord pour que j'habite chez vous pendant quelques jours ? Juste le temps de trouver autre chose. Ça ne se passe pas... (il a serré la lanière de son sac) ... très bien, chez moi.

Je lui aurais laissé mon lit et j'aurais volontiers dormi par terre, mais je ne pouvais quand même pas lui dire ça. Tout comme je ne pouvais pas lui avouer à quel point j'étais heureuse qu'il soit encore à Annapolis. Si j'avais été à sa place, j'aurais fait mes valises et quitté la ville pour ne plus jamais revoir tous ceux qui avaient joué un rôle dans l'événement le plus douloureux de ma vie.

Mais au lieu de lui répondre tout cela, j'ai lancé, en essayant de paraître le plus naturelle possible :

— Entre. Je vais demander à mes parents.

Will m'a suivie, Cavalier sur ses talons.

— Qui est-ce, Ellie ? a demandé ma mère depuis le salon.

Je me suis retournée vers Will.

— Mr. Morton est là, l'ai-je informé tout bas.

Will a fait la grimace.

— Ça ne m'étonne pas trop, en fait.

— Tu veux que je te couvre pendant que tu montes ? ai-je proposé.

— Non. Les rois ne se cachent pas, a-t-il répondu, cette fois en souriant.

— Ne me dis pas que tu *crois*...

— Allons-y, Harrison, a-t-il déclaré et, me prenant par la main, il m'a entraînée vers le salon.

— Euh..., maman, papa. Will est là.

L'espace d'une seconde, mes parents et
Mr. Morton ont dévisagé Will comme s'il était
une espèce de fantôme. Puis Mr. Morton a fermé
la bouche pour murmurer, comme s'il se parlait
à lui-même :

— Bien sûr, bien sûr, il est venu ici.

Décidant de l'ignorer, je me suis tournée vers
mes parents.

— Will a besoin d'un endroit où dormir pendant un jour ou deux. Est-ce qu'il peut prendre
la chambre de Geoff ?

Ma mère a regardé Will d'un air inquiet.

— Oh, mon pauvre, a-t-elle murmuré.

— C'est si affreux que cela à la maison ? a
demandé mon père.

Will a hoché la tête. À ses pieds, Cavalier fixait
Tig, qui se tenait, dressé sur ses pattes, la queue
en l'air, les poils hérissés. Aucun des deux n'émet-
tait le moindre son ; ils se contentaient de s'observer.

— Je ne me permettrais pas de vous demander l'hospitalité, monsieur, si... Jane, enfin, ma
mère, je veux dire, va bien. C'est... c'est mon père.

Il a jeté un coup d'œil à Mr. Morton avant de poursuivre :

— Je lui ai dit que je ne voulais pas entrer à l'École navale l'année prochaine et... il n'a pas supporté. J'imagine que ce n'était pas le meilleur moment pour le lui annoncer, avec Marco qui... qui est où il se trouve en ce moment. Mais j'ai pensé qu'il était temps, plus que temps même, qu'on soit honnêtes l'un avec l'autre. Bref, mon père m'a mis à la porte. J'espérais que je pourrais rester chez vous en attendant de me trouver une chambre. Mais si ça vous pose un problème...

— Évidemment que tu peux rester, Will, a déclaré mon père, à mon grand soulagement. Autant de temps que tu le désires, d'ailleurs.

— Tu dois être épuisé, a ajouté ma mère en se levant. En tout cas, moi, je le suis et je n'ai pas vécu le quart de ce que, toi, tu as enduré. Ellie, conduis Will à la chambre de Geoffrey. Au fait, tu as mangé, Will ? Tu veux que je te réchauffe des travers de porc ? Tu as sans doute faim, non ?

Will lui a alors adressé un sourire à faire fondre un iceberg.

— Oui, madame, j'ai toujours faim.

— Je vais te préparer quelque chose, a-t-elle lancé avant de filer à la cuisine, suivie de mon père qui marmonnait dans sa barbe :

— Avec leur appétit, ces gosses vont finir par nous mettre sur la paille.

— *Papa*, ai-je soufflé, atterrée. *On peut t'entendre.*

— Je sais.

Will s'est approché de Mr. Morton. Celui-ci se tenait à quelques mètres de nous, empreint d'une déférence maladroite.

— Re-bonsoir, monsieur, a dit Will.

— Majesté, a répondu Mr. Morton en se courbant devant Will.

J'ai cru que j'allais hurler de rire, mais Will m'a attrapée par le bras et m'a entraînée hors de la pièce.

— Tu l'as entendu ? ai-je murmuré, une fois dans le couloir, en essayant de me contrôler. Est-ce qu'il va t'appeler comme ça chaque fois qu'il va te voir ? Comme au bahut, par exemple ?

— J'espère pas, a répondu Will. Montre-moi où je peux poser mon sac.

Je l'ai conduit à la chambre de Geoff, transformée depuis le départ de mon frère à l'université en chambre d'amis.

Pendant qu'on montait l'escalier, je ne pensais qu'à une chose : *Il va passer la nuit ici, peut-être plus d'une nuit. Je le verrai le soir en me couchant et le matin en me réveillant. Comme la rose qu'il m'a offerte.*

Nancy sera folle quand elle l'apprendra !

Will a pesé son sac sur le lit sans même jeter un coup d'œil à la chambre. Non, c'est moi qu'il a regardée.

Et tout à coup, le fait qu'on soit seuls tous les deux dans cette chambre m'a déstabilisée.

— La salle de bains est juste à côté, ai-je expliqué d'une voix légèrement tremblante. Mes parents utilisent celle d'en bas, et moi j'ai la mienne dans ma chambre. Du coup, tu pourras avoir celle-là rien que pour toi. Il y a des serviettes dans le placard.

Je ne sais pas pourquoi je racontais tout ça. Mais il fallait que je parle.

— On prend des céréales le matin et ma mère fait des pancakes parfois, pour les grandes occasions. Peut-être qu'elle en fera demain si...

— Elle, a dit Will tout doucement.

J'ai cligné des yeux. Je sais, c'est stupide, mais chaque fois qu'il m'appelait comme ça, mon cœur gonflait tellement dans ma poitrine que j'avais l'impression qu'il allait exploser.

— Oui.

— Je m'en fiche des pancakes.

J'ai à nouveau cligné des yeux.

— Oui, je comprends. Excuse-moi, c'est juste que...

Il m'a alors attirée contre lui et m'a embrassée.

Et tandis qu'on s'embrassait, j'ai pris conscience de quelque chose. Quelque chose d'étrange.

J'étais heureuse. *Vraiment* heureuse. Pour la première fois depuis... très longtemps.

Et je n'avais pas l'impression que ce sentiment allait disparaître bientôt.

— Hé, ai-je fait quand il m'a enfin laissé le temps de respirer. Ce ne sont pas des façons pour un roi.

Will a alors lâché une expression pas du tout aristocratique et m'a embrassée à nouveau.

— Mais dis-moi, a-t-il soufflé à mon oreille, tu ne crois quand même pas à toutes ces sornettes dont parlait Morton ?

— Évidemment que non, ai-je répondu (parce que c'était facile de ne pas croire aux pouvoirs du Mal quand Will me tenait dans ses bras et que ma tête reposait contre son épaule).

— Moi non plus. Tu imagines, toute une organisation qui attend que le roi Arthur se réveille ?

— En même temps, il y a pire qu'être vénéré comme un demi-dieu par un paquet de gens qui sont apparemment prêts à te payer tes études.

— C'est vrai, a reconnu Will, songeur. Ce que je ne comprends pas, en revanche, c'est...

— Quoi ?

— Non, rien. C'est idiot.

— Si, dis, ai-je insisté.

— Eh bien, c'était bizarre aujourd'hui, dans le parc. Quand tu m'as tendu l'épée.

— L'épée n'y est pour rien, et je ne dis pas ça à cause des explications de Mr. Morton. Non, c'était juste une... coïncidence. Je t'ai tendu l'épée au moment où le ciel s'est éclairci. Demain, quand la police la rapportera à mon père, tu verras qu'il s'agit d'une vieille épée toute rouillée.

— Je sais, et c'est pour ça que c'est encore plus étrange. Attention, je ne crois pas à ce que raconte Morton. Pas du tout. Mais... que fais-tu de cette impression que j'avais de te connaître, le premier jour, au fond de la ravine, quand tu m'as souri. Je ne t'avais jamais vue et pourtant... je te connaissais.

— Tu voulais juste me connaître, ai-je déclaré en le pinçant doucement. Parce que je suis mignonne et tout ça !

Will a secoué la tête.

— Tu penses avoir toutes les réponses, n'est-ce pas ? Très bien, trouve-moi celle-ci alors, mademoiselle Je-sais-tout. Comment expliques-tu la similitude entre les noms de tout le monde ? Lance et Lancelot ? Jennifer et Guenièvre ? Morton et Merlin...

J'ai sursauté.

— Non ! Pas... *Merlin* quand même !

— Pourquoi ? Ce n'est pas plus délirant que moi dans la peau d'Arthur ou toi dans celle de la Dame du Lac.

— Je ne suis *pas* la Dame du Lac.

— Ah bon ? a fait Will en souriant. Malgré tout ce temps que tu passes sur l'eau ?

— Sur l'eau d'une piscine, ai-je précisé. Et non d'un lac. Je ne fais même pas partie de l'équipe de natation. Et puis, même si c'était vrai, même si tu étais Arthur et moi la Dame du Lac... n'est-ce pas ainsi que l'histoire doit se dérouler ? Je parle de nous. Ensemble. Comme ça.

— Oui, comme ça, a répété Will en m'attirant une nouvelle fois contre lui pour m'embrasser.

Je me suis alors rappelé quelque chose que j'avais oublié jusqu'à présent – quelque chose qui avait également traversé l'esprit de Mr. Morton, j'en suis sûre. Quelque chose que j'ai décidé finalement de taire à Will : dans la légende de Camelot, la Dame du Lac ne se contente pas d'apporter une épée à Arthur.

Non, elle lui rend un autre service.

Elle le ramène chez lui, une fois que tout est terminé.

Chez lui, à Avalon.

❧ LEXIQUE DES PERSONNAGES ❧

Le roi Arthur

Arthur vient du celte « Arz » signifiant « ours », symbole de force et de protection. Il est le fils d'Uther Pendragon, roi des Bretons, et d'Ygerne de Cornouailles. Selon une des nombreuses légendes, Arthur se voit remettre l'épée Excalibur par la Dame du Lac. Roi de Bretagne, il prospère alors à Camelot, auprès de Guenièvre, sa reine. Autour de la Table ronde, il réunit des Chevaliers et fait de Lancelot son favori pour partir à la recherche du Graal. À sa mort, Arthur est enterré sur l'île enchantée d'Avalon. D'autres récits laissent penser que le roi se serait retiré dans le monde souterrain d'Avalon, en attendant d'être réveillé pour combattre le Mal.

Lancelot

Il est le fils du roi Ban de Bénoïc et de la reine Elaine/Hélène. Le jour de sa naissance, Lancelot se fait enlever par une créature féerique, la Dame du Lac. Celle-ci l'élève comme son propre fils. Lancelot du Lac apprend à devenir un preux chevalier. Grâce à sa protectrice, il rencontre le roi et se fait adouber. Lancelot s'illustre comme le meilleur chevalier de la Table ronde. Il tombe plus tard sous le charme de Guenièvre. Par deux fois, il approche le Graal sans jamais pouvoir en percer les mystères, la passion interdite qu'il éprouve pour la reine en étant la cause. Quand Arthur découvre cette liaison, Lancelot est contraint de quitter le royaume et de ne plus jamais revoir Guenièvre.

Guenièvre

Guenièvre vient du gallois « Gwenhwyfar », signifiant « la dame Blanche » ou « la fée blanche ». Elle est la fille du roi Léodegrance, roi de Carmélide. Elle représente dans la mythologie celte la figure enchanteresse et l'amour charnel. Elle est l'épouse du roi Arthur et l'amante dominatrice de Lancelot. Face à un époux quelque peu passif, Guenièvre exerce officieusement son pouvoir. Selon certaines légendes, c'est l'amour adultère entre Guenièvre et Lancelot qui aurait causé la chute du royaume arthurien.

Mordred

Mordred a différents rôles, selon les divers cycles arthuriens. Il est souvent le fils incestueux du roi Arthur et de sa demi-sœur Morgane. À quatorze ans, il est amené à la cour où il découvre ses origines. Il est pendant un temps chevalier au service du roi, mais se fait très vite une réputation de traître, détesté par les autres chevaliers pour son caractère sournois. Il tente de s'emparer du trône, et tue Arthur au cours d'une bataille. Mais il est parfois le neveu du roi Arthur, fils de Morgane, laquelle déteste son frère le roi et fait de Mordred l'instrument de sa vengeance.

Elaine d'Astolat

Appelée également la Dame de Shalott, ou la Dame au Lys. Elle habite un château, construit sur une île, et se plaît à observer par sa fenêtre le monde extérieur. Un jour, elle voit le reflet de Lancelot passer sur son miroir. Elaine tombe éperdument amoureuse du chevalier. Mais Lancelot ne partage pas cet amour. Accablée par le chagrin, elle se laisse dériver sur une barque, vers Camelot.

La Dame du Lac

Appelée également la fée Viviane. Elle vit dans la forêt magique de Brocéliande. C'est elle qui donne Excalibur au jeune roi Arthur. Elle veille ainsi sur lui durant tout son règne.

Composition MCP - Groupe JOUVE - 45770 Saran
N° 314069D
Impression réalisée par
CPI BRODARD ET TAUPIN
La Flèche
en juillet 2009

Dépôt légal Imprimeur : 53674
20.16.1349.8/04 - ISBN : 978.2.01.201349.0
Loi n° 49-956 du 16 juillet 1949 sur les publications destinées à la jeunesse.
Dépôt légal : juillet 2009